CW00918005

Einaudi. Stile Libero Big

Dello stesso autore nel catalogo Einaudi

Notti in bianco, baci a colazione
Sono puri i loro sogni
La vita fino a te

Matteo Bussola
L'invenzione di noi due

Einaudi

© 2020 Giulio Einaudi editore s.p.a., Torino

www.einaudi.it

ISBN 978-88-06-24238-1

L'invenzione di noi due

a chi si ama e non ricorda il perché

«Ce ne sono tante, di cose che non riesco a dirti».
«Chissà se verranno fuori, in caso di necessità».
Ci abbracciamo, e mentre sento il suo cuore che batte ho l'impressione di camminare su un campo che ho inutilmente minato.

WALTER SITI, Troppi paradisi

Scrivere è sempre nascondere qualcosa in modo che venga poi scoperto.

ITALO CALVINO, Se una notte d'inverno un viaggiatore

Se parlate d'amore, parlate piano.

WILLIAM SHAKESPEARE, Molto rumore per nulla

Cominciai a scrivere a mia moglie dopo che aveva del tutto smesso di amarmi.

Solo allora mi venne l'idea.

È triste, tragico persino, ma torniamo a occuparci delle cose quasi sempre quando sono finite. Forse la fine è l'unica condizione in grado di smuoverci davvero. Forse è solo che, per risvegliare il nostro desiderio di agire, abbiamo bisogno di una distanza, la sensazione di dover recuperare un'opportunità che ci appare lontanissima, perduta. Irrimediabile.

Nadia non aveva smesso di amarmi d'un colpo, era stato un processo lento, una fiamma che aveva perso di vigore anno dopo anno, senza nuova legna ad alimentarla, fino a lasciare poche braci. Quelle braci, ormai, ardevano soltanto dentro di me.

Quando ti prometti amore eterno non te lo immagini mica che arriverà un giorno, presto o tardi che sia, in cui la persona che hai scelto inizierà a disprezzare tutto, di te: la tua presenza nella stessa stanza, il tuo odore, il tuo respiro, il gocciolio che fai mentre pisci la sera prima di venire a letto.

Ci eravamo detti per sempre, ora non riusciva più nemmeno a guardarmi. Io, invece, di guardarla non avevo smesso mai.

Comunque, ecco, solo allora mi venne l'idea.

Questa è la storia di come mi sia riuscito di tramutare l'amore in cenere e poi la cenere, di nuovo, in amore.

La prima cosa fu il mio sbaglio.

La seconda, la mia colpa.

Spiga

1

Sabbia

Pare che la bellezza di una perla sia la risposta organica a un dolore.

La perla cresce attorno alla ferita che un singolo granello di sabbia, penetrando nella conchiglia, provoca all'ostrica. È la risposta a un elemento imprevisto che riesce ad attraversare le sue difese.

L'amore non è diverso: è la reazione a qualcuno che è riuscito a superare tutti i nostri muri. La risposta accogliente a una potenziale minaccia che ha valicato il confine. L'accettazione di un rischio. Quella minaccia potrà non manifestarsi mai come tale, oppure dichiararsi quando meno te lo aspetti. «Ti ho dato gli anni migliori della mia vita!» aveva gridato mia madre a mio padre in un intramontabile cliché, quasi quarant'anni addietro, quando lui se n'era andato per convivere con una giovane cantante istriana, lasciandoci soli e in miseria. Papà, che sapeva aggiustare tutto, a un certo punto aveva rotto la cosa piú importante. Immagino che la faccenda abbia in parte condizionato la mia visione delle relazioni ma, ecco, è un fatto: io non sono uno che se ne va.

Nadia e io condividevamo questa visione, potrei dire che era nella nostra natura: per noi, la promessa che ci eravamo scambiati veniva prima di tutto il resto, addirittura prima dell'amore che l'aveva generata. Nadia ora non mi amava piú, ma sapevo che non mi avrebbe lasciato mai. Questo la stava condannando a un'esistenza di profonda infelicità.

Per me era piú semplice, perché l'amore che provavo per lei e la promessa che le avevo fatto erano la stessa cosa. Dopo quindici anni di matrimonio amavo mia moglie come il primo giorno, adoravo la storia nascosta dietro ogni sua piú piccola ruga, il suo culo raddoppiato negli anni, i suoi capelli di tre colori diversi da quando aveva smesso di tingerli, la fessura tra i suoi incisivi che il tempo aveva ulteriormente allargato, la maniera buffa che aveva di spalmare il burro sulle fette biscottate. Amavo il privilegio di poter vedere in trasparenza, sotto il velo della maturità, il viso della ragazza ch'era stata e che solo io, perlomeno da amante, avevo conosciuto cosí bene.

Nadia invece non vedeva piú niente, né l'uomo che le stava davanti né il ragazzo che, molti anni prima, l'aveva fatta innamorare. Ero da tempo diventato opaco al suo sguardo, e non sapevo come fare per tornare alla luce.

Il nostro matrimonio era un granello di sabbia senza perla.

2.

Narcisi

Per capire il perché di ciò che accadde, sarà meglio che cominci dall'inizio.

Mi chiamo Milo Visentini e ho quarantasette anni. Devo il mio nome a mia madre, che volle per me quello di suo nonno, e si convinse ancor piú quando scoprí che l'etimologia di Milo rimanda a «gentile, caro, buono». Una variante lo riconduce al significato latino di «milite, soldato». Entrambe le interpretazioni, a pensarci, riassumono bene il mio carattere. Papà, grandissimo appassionato di jazz, pensava invece piú a Miles Davis, e la scelta di mamma gli era andata a genio soprattutto per questo. Ho un fratello piú grande, Marco, al quale devo letteralmente la vita, che mi chiamava Milou, come il cane di Tintin.

Se si escludono gli anni universitari, non mi sono mai allontanato dalla mia città.

Non c'è mondo per me fuori dalle mura di Verona, disse Romeo nella celebre tragedia.

Sei sempre vissuto qui, proprio come una pianta, mi diceva Nadia.

Per quanto mi riguarda, avevano ragione entrambi.

Lavoro in una piccola ma ben frequentata osteria, gestita col mio amico Carlo. Per questa ragione, negli anni, ho accumulato diversi chili. Non sono obeso, se è questo che immaginate, ma diciamo che ho una corporatura piuttosto importante. Anche se ho smesso di fumare e mi sfor-

zo di andare a correre un paio di volte a settimana, ho di
continuo il fiato corto, gli occhi arrossati, e ogni mattina
la schiena si fa sentire quando mi piego per infilare i cal-
zini. Non è sempre stato cosí. Quando ci eravamo appena conosciuti e passavamo intere giornate ad analizzare i
nostri visi, e i dettagli che li componevano, divertendoci
a rivelare cosa amavamo l'uno dell'altra, Nadia un giorno
arrivò a dirmi che avevo «le spalle di un sollevatore di pesi
innestate su un corpo da maratoneta», ma pure gli «occhi
profondi e acquosi da donna innamorata». Di fronte al mio
disappunto, aggiunse: «Però con la luce ingenua e disperata di un bambino costretto a crescere troppo in fretta».
Per me erano solo due insignificanti occhi marroni, e il fatto che lei riuscisse a vederci dentro un'intera storia, con
la facilità di chi sta leggendo un racconto ad alta voce, mi
riempiva di stupore.

Mi definiscono una persona riservata, ed è abbastanza
vero. Lo dicono quasi fosse un limite. Io, al contrario, ho
sempre pensato alla riservatezza come a una specie di regalo. Riservare qualcosa ha a che fare col tenerlo in serbo
per qualcuno, che sia un tavolo al ristorante, la copia di
un libro, una bottiglia di vino, oppure una parte fondamentale di noi. Quando conobbi Nadia, compresi per chi
avevo tenuto in serbo la mia.

Cos'altro potrei dire?

Che mia moglie era la donna piú bella che avessi mai visto suonerebbe fatalmente banale, cosí come se vi dicessi
che ho vissuto tutta la vita con la convinzione di non me-
ritarla. Non ero il solo a pensarlo.

Una sera di molti anni fa, a cena con Marco, sua moglie
Anna e qualche amico, mentre parlavamo di film visti di
recente, qualcuno disse di Nadia che era «uguale all'attrice Julianne Moore». L'osservazione, invece di lusingarla,

sembrò quasi infastidirla. Allora Anna precisò che Julianne Moore, oltre la bellezza e la bravura, aveva un pregio ben piú importante: era sposata con un uomo bellissimo, tal «Bart» qualcosa.

– Un figo spaziale! – aggiunse.

Un istante dopo, tutti si voltarono verso di me, mi fissarono senza dire niente. Poi scoppiarono a ridere.

Fu la sera in cui Marco, dopo una grappa d'Amarone di troppo, mentre eravamo sul balcone, mi confessò che stava pensando di lasciare Anna, perché ormai restavano insieme solo per le figlie, e il vuoto che si respirava in casa quando le bambine non c'erano era diventato insopportabile.

– A te non succede mai? – chiese.

Avrei voluto dirgli che lo capivo, ma non sarebbe stato vero.

Il tempo che passavo da solo con mia moglie era ancora un mondo in cui regnavano cuori e sorrisi puri e immacolati, come i narcisi di cui Nadia amava riempire il soggiorno, nel quale perfino i silenzi erano condivisi, pause su uno spartito che suonavamo comunque insieme.

Cosí era sempre stato, fin dal nostro primo incontro.

Le persone si chiedevano spesso cosa potesse avere portato una donna come Nadia da uno come me. Era una storia strana e meravigliosa, la nostra. Di quelle che non si dovevano raccontare troppo in giro, se non si voleva essere presi per pazzi.

Era cominciata quasi trent'anni prima.

Era iniziata cosí.

3.
Chi sei?

«Chi sei?»

La scritta era a matita leggera, nell'angolo alto del banco. Piccola, non appariscente, timorosa. La calligrafia – un anonimo stampatello minuto – non forniva indizi di rilievo.

Era l'anno della maturità. Non rammento bene i dettagli ma era un periodo in cui la nostra classe, per qualche oscura ragione, era costretta ad avvicendarsi con un'altra nella stessa aula. Noi la occupavamo al mattino e la quinta C al pomeriggio.

Comunque: «Chi sei?» diceva la scritta.

La trovai un mercoledí mattina di maggio sul mio banco. Insomma, sul nostro.

All'inizio, non le diedi quasi peso e mi sforzai di seguire le lezioni con la solita indolente attenzione. Ma poco a poco le parole si fecero strada nella mia testa, suadenti. «Chi sei?» continuavo a ripetermi. Già, chi ero? Il quesito appariva diretto, elementare, ma ci sono molte possibili risposte a una domanda del genere. Per un liceale possono essere migliaia. Ci rimuginai per le ultime due ore di Lettere, la semplicità della domanda mi pietrificava. Prima di uscire fui capace solo di scrivere: «Io sono Milo. E tu?»

Poi infilai lo zaino e mi precipitai giú dalle scale per non perdere l'autobus dell'una e un quarto.

Il giorno dopo c'era sul banco un'altra scritta, simile per caratteristiche e dimensioni. Ma stavolta era in corsivo, la calligrafia piú personale, riconoscibile. Se il messaggio precedente era stato una bottiglia scagliata in mare aperto, questo invece esprimeva la certezza di un destinatario. «Sono Nadia».

La prima relazione epistolare della mia vita cominciò cosí: su un banco di scuola.

Nadia e io ci ritrovammo a scriverci tutti i giorni. Scambi telegrafici, circostanziati. Qualche battuta. Ma, ogni giorno che passava, le distanze si accorciavano.

Le nostre frasi, da impacciate e caute, diventarono presto piú lunghe e fitte. Le domande che ci rivolgevamo erano sempre piú sfacciate e dirette, mentre le risposte piú evasive, sottili, quasi ci stessimo annusando.

I primi tempi la scrittura invadeva solo la parte periferica del banco, in alto a destra, quella poggiata contro il muro. Ma dopo un po' le parole non bastarono piú e iniziammo a scrivere direttamente in mezzo, a spaziare spavaldi, usando tutta la superficie di formica verde come fosse un foglio. L'urgenza di raccontarsi era troppo forte, insistente, concreta. Tutta quella che si può avere a diciott'anni.

La cosa funzionava in questa maniera: ognuno leggeva il messaggio scritto dall'altro, poi lo cancellava con la gomma e al suo posto scriveva il proprio, a matita. Come nei mandala buddhisti, ogni volta ricominciavamo da capo, azzerando tutto. Senza che di quel che ci eravamo detti in precedenza restasse testimonianza alcuna, se non dentro di noi.

La scrittura di Nadia era acqua fresca. Limpida, andava dritta al punto, sapeva ogni volta ciò che voleva chiedere o anche solo, sottilmente, suggerire. La sintassi sempre salda, una scelta dei termini che appariva l'unica possibile. La percezione era quella di una scrittura che sembrava sgorgare pura da una fonte incontaminata. O di una musica. Se le leggevi a voce alta, le parole di Nadia sembravano una canzone.

Io, al contrario, mi perdevo in spiegazioni interminabili, in derive inutili, vittima della paura di essere frainteso, di non riuscire a dire ciò che volevo. Di non essere capito. So di non sbagliare affermando che Nadia passava senza dubbio piú tempo a cancellare i miei deliri che a comporre le sue risposte.

La cosa singolare è che quando scrivevo, al termine di frasi che ritenevo significative, mi capitava di disegnare delle faccine. Le tratteggiavo sul banco per far capire quando scherzavo, per sottolineare passaggi salienti, come delle emoticon in anticipo sui tempi, fatte a mano. Certe volte invece dilagavo e realizzavo addirittura disegni completi. L'altra cosa strana, rispetto all'oggi, era la scansione temporale. L'attesa. Per ogni suo messaggio dovevo aspettare un giorno. Ventiquattr'ore intere, interminabili. Inevitabili.

Qualche notte mi capitava di sognarla. Mi buttavo sul letto con la finestra aperta, dopo aver fumato, e quando partiva il metronomo estivo degli innaffiatoi da giardino mi lasciavo trascinare giú in un sonno profondo. Nei miei sogni, Nadia aveva sempre un volto definito e noto, che al risveglio non riuscivo mai a ricordare. Mi restava addosso una sensazione di familiarità, di benessere, simile al tepore di un sole autunnale sul viso.

La corrispondenza proseguí per settimane. Fatta di domande, risposte, ipotesi, confidenze di segreti che prima di scriverli non erano chiari nemmeno a noi stessi. Eppure, a nessuno dei due venne mai in mente di chiedere un incontro. Condividevamo lo stesso banco, la stessa aula. La stessa scuola. Sarebbe stato piuttosto semplice svolgere una piccola indagine, domandare se qualcuno conoscesse quella ragazza della quinta C. Per Nadia, immagino fosse uguale.

Invece preferivamo scriverci queste lunghe lettere estenuanti, appassionate, esponendoci pure alla possibile vergogna della lettura da parte di occhi estranei, ma era come se questo ci bastasse, quasi avessimo paura di rovinare tutto chiedendoci di piú. Forse temendo che la realtà dei nostri corpi, del nostro aspetto, potesse rappresentare uno scollamento troppo profondo e violento rispetto a ciò che immaginavamo l'uno dell'altra.

Lo snocciolare dei giorni, però, a un certo punto mi pose davanti a una questione di pragmatismo spicciolo: mancava mezza settimana alla fine delle lezioni. E poi? Cosa sarebbe successo? Come avremmo fatto? Non potevo nemmeno sperare che la nostra corrispondenza proseguisse l'anno seguente, dato che stavamo per diplomarci.

Il penultimo giorno di scuola perciò mi decisi, presi coraggio e le scrissi il mio numero di telefono sul banco. Non pensavo necessariamente alla possibilità di incontrarla, ma anche solo all'occasione di poter, infine, associare una voce alle parole. Alla liberatoria emozione del dirsi, anziché scambiarsi messaggi.

Da lí, furono le ventiquattr'ore piú lunghe.

Restai sveglio accanto al telefono, in attesa, con la finestra chiusa, per non essere distratto da nessun altro rumore. Come se Nadia potesse chiamarmi quella notte stessa e sussurrarmi: «Vieni a prendermi ora. Subito. Non esitare piú».

Il mattino dopo entrai in classe di corsa, aspettandomi di trovare la lunga risposta in cui speravo. Oppure una breve frase contenente un altro numero di telefono: il suo.

Invece il banco era pulito. Non cancellato come al solito, no. Risultava evidente un'operazione di lucidatura totale, professionale, un accanimento perfezionista. Forse il dannato bidello, o un compagno invidioso. Qualcuno che non aveva rotto il cazzo fino a quel momento era arrivato a interferire sul piú bello.

Ma quand'era avvenuta la pulizia del banco? Prima o dopo la lettura del mio messaggio da parte di Nadia? E nel secondo caso: lei mi aveva risposto? E, se sí, era stata la sua risposta a essere eliminata prima che io potessi leggerla? Le congetture lasciarono presto il posto alla delusione, a una sensazione di perdita definitiva e senza rimedio.

Il giorno stesso la scuola finí e l'imminenza degli esami di maturità prese il sopravvento su tutto. L'estate passò con i suoi tormenti, spazzando via le mie inutili domande.

A settembre mi iscrissi alla facoltà di Architettura e andai a vivere a Venezia.

4.

Silvana Mangano

Proprio lí, tre anni dopo, conobbi una ragazza con lo stesso nome.
Ogni giovedí mattina seguivamo insieme il corso complementare di Storia dell'Arte, nell'aula magna della nuova sede di Santa Marta. La Nadia lagunare era bella, estroversa, confusionaria, parlava sempre a voce molto alta. Che io le piacessi era piú di un'ipotesi. Ma nel quadro d'insieme percepivo qualcosa di stonato, irredimibile come una scoreggia in ascensore. Come se i suoi occhi azzurri fossero troppo azzurri, o il suo seno grande troppo grande, o il suo abbigliamento troppo consapevolmente casuale. Come se gli elementi tutti insieme risultassero in qualche modo estranei fra loro. Nadia sembrava una campagnola vestita per andare in ufficio il primo giorno, con quell'aria un po' cosí, quasi di bestia addomesticata.
Nonostante questo, era dotata di un fascino indiscutibile. Pareva un'attrice italiana degli anni Cinquanta, una sorta di Silvana Mangano veneta. Emanava una fragranza di sudore appena percettibile, fumo di sigaretta ed erba tagliata che risvegliava in me visioni agresti da dopoguerra. Non bastasse, dietro a quegli occhi azzurromare si celava con successo un'intelligenza viva, quasi brillante, che insieme all'accento veneto misto romagnolo – la

mamma era di Cesena – e all'umorismo estroso rendevano Nadia una persona gradevole sotto ogni punto di vista.

Eppure, non riuscivo a farmela piacere.

Ci fu un periodo, al liceo, e questo va detto, nel quale ero perseguitato dall'idea di essere un pervertito. Delle ragazze, guardavo solo il culo, o il seno, o le orecchie, o i polpacci. Ero ossessionato dal dettaglio a discapito dell'insieme. So che è comune negli adolescenti maschi, ma io mi spingevo oltre, vivevo questa situazione in modo del tutto consapevole, conclamato, come fossi un malato che conosce il nome della propria sindrome. Ero attirato in maniera irresistibile dalle ragazze grandi, eccessive, con seni enormi e cosce ben tornite. Nella mia fantasia, riuscivo quasi a sezionare queste parti dal corpo di appartenenza, estirparle in una raffinata opera di sottrazione chirurgica, e crearmi nella testa una specie di patchwork di carne umana femminile, grondante sesso. Nadia, con la sua fisicità sfacciata e prorompente, mi riportava a quel periodo. Mi faceva sentire ancora una specie di imbranato adolescente brufoloso, fuori tempo massimo. Non riuscivo a vederla come un corpo, una persona, non ne vedevo che dei pezzi. In questo modo spiegavo a me stesso la mia non-attrazione. O almeno, questo è quel che mi raccontavo conoscendo benissimo, nel profondo dei miei abissi, quale fosse la verità.

E la verità era il suo nome.

Il nome di Nadia non corrispondeva al suo aspetto. La guardavo, e vedevo solo un impostore. Una truffatrice. Le Nadie di tutto il mondo per me avevano un unico volto, un viso che conoscevo bene, anche se non l'avevo mai visto. E quel viso non era il suo.

Guardavo questa Nadia fasulla, la sua espressione

inutile, e qualcosa dentro di me avrebbe avuto voglia di infliggerle una specie di punizione definitiva, prendere un tizzone ardente e inciderle sulla fronte in caratteri maiuscoli: «Chi sei?»

5.
Rossella O'Hara

Sette anni dopo, mentre Laura mi stava lasciando, mi vedevo con Valeria già da un mese.

Non ho mai chiuso una storia per primo, perché non sopporto gli addii. Al tempo, l'unica maniera possibile di subirne uno – se ne presagivo i segnali – era sentirmi già al sicuro, ero fatto cosí.

Mentre Laura mi parlava, vedevo d'un tratto le cose con il cristallino candore di quando si è bambini, e avrei voluto finisse in fretta.

Non ci amavamo piú, era semplice.

Mi toccò invece subire una lunga elencazione di presunte mancanze – mie – e di accuse lanciate con la precisione millimetrica di un tiratore scelto. Laura mi stava lasciando *perché*. E, ehi. Era tutta colpa *mia*.

Considerato che tecnicamente la stavo tradendo, una parte di me non poteva fare a meno di darle ragione. Ma i motivi che snocciolava con solerzia mi sembravano pretestuosi e vuoti. Mi innervosiva l'evidenza di lei che stava cercando di non perdere il filo. Parlava con la meticolosità e le pause di chi ha imparato un discorso a memoria. Mi seccava essere solo un nome nel discorso, il bersaglio inerme di un linciaggio verbale. Inoltre, era chiaro che l'annuncio fosse stato studiato per non darmi alcuna possibilità di replica. Ed ero certo che lei avesse previsto ogni mia contromossa, e fosse preparata. Per cui tenni a bada l'incazzatura crescente e dissi solo: – Va bene.

Pensai al profumo alla ciliegia di Valeria, alle lenzuola arancioverdi con i grilli, all'infantile entusiasmo di una relazione che poteva finalmente uscire dalla clandestinità. Alla gratitudine sincera di una ragazza giovane. Alla fine dei problemi, le paranoie, le accuse, la fatica. E aggiunsi: – Hai ragione, Laura. Su tutto.

Laura sembrava spaesata. Non si aspettava la mia reazione, era evidente.

– Ah, – disse. – Bene. Sono contenta che sei d'accordo.

– Allora la finiamo qua? – feci io, fingendo l'espressione piú dispiaciuta che mi veniva.

– Sí, – rispose. Titubante.

Mi strinse in un abbraccio che piú che un addio sembrava una promessa di non so bene cosa e mi diede un ipocrita bacio sulla guancia, a sottolineare il nuovo corso. Io mi alzai dal divano e feci per andarmene, ma lei proseguí.

– A dire il vero anch'io ho le mie colpe, Milo. Lo so. Ma ora sono molto arrabbiata con te. Lo capisci, vero?

– Come no. Tranquilla. Va tutto bene.

– Magari tra qualche tempo ci si rivede per un caffè. Giusto cosí, per fare il punto.

Il punto? Il punto di che? Non volevo nemmeno provare a pensare cosa intendesse.

– Certo. Ciao Laura. Stai bene.

– Anche tu, – disse lei nella sua interpretazione di Rossella O'Hara.

Mi richiusi la porta alle spalle. Fuori faceva freddo, soffiava un vento gelido e sembrava stesse per nevicare. Nel condominio di fronte, una signora alla finestra stava battendo un tappeto che mollava giú nuvole di sporco e polvere. Pensai che mi sentivo proprio come quel tappeto.

Tirai su il bavero e m'incamminai verso l'auto e il mio futuro incerto, quando una voce alle spalle mi scosse dallo stordimento dei pensieri.

– Nadia! – urlò la voce.

Mi voltai in automatico e a bocca aperta, come attendendo un'apparizione, quasi fossi un cronista che stava per perdersi lo scatto del Pulitzer. Come se sul serio Nadia stesse per materializzarsi davanti a me, dopo quasi dieci anni. Mi girai appena in tempo per vedermi superare da una ragazza bionda che correva zaino in spalla verso la fermata del 51.

Ad attenderla: Nadia, diciassette anni forse, capelli nerissimi e ricci, poche lentiggini e un delizioso cappellino di lana intrecciata calato su un paio d'occhi scuri e brillanti.

La ragazza bionda le si buttò incontro sorridente quasi fossero i poli opposti d'una calamita, sotto gli occhi illusi e senza speranza di un diciottenne.

I miei.

6.

She (may be the face I can't forget)

Tre anni dopo ero a una festa a Verona con Marcello. Lo avevo conosciuto una dozzina d'anni prima al corso di Composizione architettonica, scoprendo che eravamo riusciti a fare lo stesso liceo senza incontrarci mai. Si trattava di una specie di cena in piedi con la musica troppo alta, in un attico che affacciava su lungadige Panvinio. Io ci ero andato controvoglia e mi sentivo il classico imbucato, mentre Marcello, che era lí con un'amica, era in piena fibrillazione. Perché alla festa, aveva saputo all'ultimo, era presente il grande amore della sua vita. Una ragazza alla quale aveva lasciato giú il cuore, una di quelle storie che forse abbiamo avuto tutti, quella che niente sarà mai piú cosí. Era una sua vecchia compagna di classe, si erano messi insieme al termine del quinto anno, ci aveva passato un'estate leggendaria in Grecia – nelle leggende sentimentali la Grecia c'entra quasi sempre, non so perché – e poi una manciata di mesi celestiali. Infine, l'abbandono da parte di lei, pare perché non riusciva a levarsi dalla testa un altro, nella disperazione piú totale di lui.

Da allora, non si erano piú rivisti.

– Ma dài, cazzo, andiamo a salutarla! Fai lo splendido, almeno, – dissi.

Lo convinsi. Forse perché ero già vecchio abbastanza per sapere che i traumi amorosi che ci portiamo dietro vanno presi di punta, non esiste altra maniera.

Ci avvicinammo. Lei apparve da dietro una tenda, rientrando dal terrazzo con un bicchiere in mano. Era oggettivamente di una bellezza innaturale, avresti trovato i suoi occhi al buio, da quant'erano verdi.

I due cominciarono a parlarsi. Marcello era sciolto come uno che ha appena fatto un incidente, ma tenne bene la parte. A un certo punto, per levarsi da un'impasse pericolosa, decise di presentarmela. Mi feci avanti e allungai la mano.

– Piacere, Milo.

– Piacere, – disse lei. – Nadia.

Ci fissammo per un secondo di troppo. Nei nostri sguardi s'incrociò un'intuizione, fulminea.

– Nadia, – ripetei. Nel puzzle confuso nella mia testa qualcuno aveva improvvisamente sparato il pezzo mancante.

Si erano messi insieme alla fine del liceo. Marcello era nella mia stessa scuola.

– Nadia, – dissi ancora. – Nadia, della quinta C?

– Sí, – mi fece lei. – Chi sei?

Sorrisi.

– Questa domanda me l'hai già scritta tredici anni fa.

Nadia sgranò gli occhi, poi si mise le dita sulla bocca che formava una piccola o perfetta. Mi si buttò addosso in un impeto alcolico, mi schiacciò i seni sullo sterno e mi abbracciò con una tale violenza da buttarmi quasi a terra. Marcello mi guardò e pareva mi vedesse per la prima volta. Nei suoi occhi, un misto di sorpresa e odio.

Passammo il resto della festa a parlare fitto, io e lei da soli, raccontandoci la vita, ridendo come due vecchi compagni durante una sbronza. Non trovai il coraggio di chiederle se il mio ultimo messaggio sul banco lo avesse cancellato lei, o il bidello, o il moroso, o la pioggia, o le cavallette. Se avesse mai ricevuto il mio numero di telefono. Se avesse mai avuto la tentazione di usarlo. Del resto, nemmeno lei me ne parlò e andò bene cosí. E comunque dopo tredici anni non avrebbe fatto alcuna differenza, o almeno cosí credevo. Di sicuro, non l'avrebbe fatta al tempo del liceo: gli occhi verdi di Nadia erano troppo verdi per promettere qualcosa di buono, e adesso che li vedevo senza piú immaginarli, uguali ma diversi, sapevo che se li avessi incontrati allora mi avrebbero ridotto in brandelli.

Uscii a fumare, Nadia mi raggiunse sul terrazzo, emergendo dal tintinnio dei bicchieri e dalla musica di sottofondo.

– Perché sorridi? – mi chiese.

– Sono salvo, – dissi.

7.
Labello alla fragola

E invece non ero salvo per niente.

Nadia mi sollevò come un tornado. Era un vento che non avevo mai sentito, il vento solare di Marte, potevo passare intere giornate ad ascoltarlo, e come un vento cambiava il paesaggio attorno a me, cambiava me e il mio essere parte di quel paesaggio. Ci furono all'inizio il prendersi le misure, cauti, la curiosità di capire quanto di quei ragazzi che si erano scritti fosse rimasto dopo cosí tanto tempo. Dare finalmente un volto alle frasi composte a matita, una voce a quelle lette.

Un paio di caffè cattivi, una cena al ristorante cinese in cui scoprii che Nadia odiava i germogli di soia come poche altre cose – «Sanno di sciacquatura di piatti!» –, diversi pomeriggi in libreria, la confidenza antica dei nostri pensieri che cercava allineamenti nelle espressioni, negli odori, nei gesti. Baciarsi coi nasi freddi in riva al lago, di domenica sera, cascandoci addosso all'unisono quasi che una mano invisibile ci avesse spintonati. Le sue dita calde infilate sotto il maglione, le sue labbra che sapevano di liquirizia e vino rosso e Labello alla fragola tutto insieme. E questo fuoco che sentivo crescere e ribollire nello stomaco, ogni volta che ero con lei. La desideravo cosí forte, eppure avevo paura del mio stesso desiderio. Non temevo la delusione che si prova quando la realtà punisce le nostre aspettative. Pensavo, al contrario, che la nostra storia mi avrebbe dato conferme decisive, proprio come la spirale del destino che ci aveva infine ricongiunti. Immaginavo che il mio corpo nudo a contatto col suo, stare dentro di lei, potesse essere ancora piú bello di quanto lo avevo sognato, e non riuscivo ad avere alcun controllo sul divampare dell'ansia. Ero come quelle mucche che si vedono nei film sugli uragani, sospese a mezz'aria, nel cuore del ciclone. Forse anche per questo, la prima volta che tentammo di fare l'amore, non ci riuscii.

Era autunno inoltrato ed eravamo in auto, eravamo stati all'inaugurazione dell'osteria di Carlo e poi a un concerto, stavo riaccompagnando Nadia a casa attraverso stradine di campagna. Avevamo un po' bevuto. La sua mano era appoggiata sulla mia mentre stringevo la leva del cambio. Sentivo i suoi polpastrelli pulsare lungo il dorso delle dita, quasi stessero cercando di inviarmi un messaggio in alfabeto morse.

– Io sono qui, – disse d'un tratto. – Se mi vuoi, puoi avermi.

Sterzai senza neanche pensarci, infilandomi con la macchina sotto un vigneto a bordo strada. Spensi il motore e la passione ci travolse in maniera cosí improvvisa e simultanea che ci gettammo l'uno sull'altro con violenza, rimbalzando contro i finestrini e il volante e le portiere. Due cani si sentivano abbaiare, lontanissimi. Avevamo entrambi trent'anni ma su quel sedile, incastrati in uno spazio troppo stretto, i visi illuminati appena dalla luce fredda della notte, c'erano da una parte un liceale, e di fronte a lui una dea nel pieno del suo fulgore. Forse fu quello, forse fu che non me l'ero immaginata cosí, mezzi ubriachi dentro una Panda bordeaux in cui ci si muoveva a fatica, forse fu il desiderio feroce e alcolico che vedevo brillare negli occhi di Nadia – la sua voglia di me, di essere lí, e la mia sensa-

zione che fosse tutto troppo, irragionevole, fuori scala –,
ma dopo una quarantina di minuti a baciarci e a frugarci
gettammo la spugna, e uscimmo a fumare.

Non vi fu nessuna tenera frase di circostanza per cercare di farmi sentire meglio e, cosa ancor piú strana, alcun
senso di colpa da parte mia. Sapevo bene che là sotto era
tutto a posto, che tanto avremmo avuto tempo. Fermen-
tava, dentro di me, in maniera sghemba e contradditto-
ria, addirittura un tocco di gioia per quell'emozione pa-
ralizzante da adolescente che aveva preso il sopravvento.
Quasi un orgoglio all'incontrario.

– Del resto, perché rovinare una cosí bella serata con
del sesso selvaggio? – disse Nadia guardando in su.

Ci fu un silenzio che durò un paio di secondi. Poi cominciammo a ridere talmente forte che si accese una luce nella casa dietro i filari, si aprí una finestra al secondo
piano e una voce maschile, forse il proprietario dei campi,
urlò nel buio: – Chi c'è?!

– Occhio che qui sono capaci di spararci, o di sguinza-
gliarci contro i cani, – dissi a bassa voce, continuando a
ridere.

– Tu non pensarci piúúú, che cosa vuoi aspettare? L'amore spacca il cuore, spara, spara, spara dritto qui! – into-
nò Nadia in direzione della finestra, indicandosi il petto.

– 'Ndasí in mona! – disse la voce.

– Grazie, ci stava giusto provando! – rispose Nadia.

E giú risate.

Poi lei si voltò, gettò la sigaretta lontano, sulla stradina
di ghiaia, con un movimento a catapulta di pollice e indice, un gesto maschile che nella mia testa faceva a pugni
con il suo aspetto cosí seducente.

– Portami via, – disse sbuffandomi l'ultimo fumo negli
occhi, mentre mi pettinava i capelli indietro con due mani.

– Sí, – dissi aggrappandomi alla manica del suo cappotto e tirandola piano verso l'auto, senza sospettare che la vera natura di quella richiesta l'avrei compresa solo molti anni dopo.

Passammo il resto della serata a fare battute sulle erezioni e sull'impotenza. Fu lí che scoprii che Nadia sapeva essere di una volgarità sconvolgente, e che la cosa mi piaceva.

Ci riprovammo una settimana dopo, nel suo appartamento, di mercoledí pomeriggio, mentre la sua coinquilina era in accademia.

Nadia troverebbe sicuramente parole migliori delle mie per descriverlo. Io mi limiterò a dire che da quel giorno, se capita che mi chiedano della mia prima volta, mi piace raccontare nello stupore generale che fu a trentun anni.

Di mercoledí pomeriggio.

8.

Cotolette

Nadia arrivò in fretta a occupare sempre piú spazio nella mia vita, fino a conquistarlo quasi tutto. C'era qualcosa di bellico nel suo modo di amare. C'era una felice e consapevole arrendevolezza nel mio.

I primi tempi, ci alternavamo fra i nostri due appartamenti.

Nadia abitava in un quadrilocale al secondo piano di una vecchia casa, fuori Porta Vescovo. Ogni volta che salivamo per la scala stretta e un po' buia del piccolo condominio, io stavo dietro di lei, contavo i gradini e mi perdevo ad ammirare la mezzaluna del suo culo, su cui si innestava la sua schiena in un incastro armonioso e perfetto, e mi sentivo grato per quanto sarebbe successo non appena fossimo entrati. Il soggiorno era ampio, sovradimensionato rispetto al resto, e l'arredamento era quello di una tipica casa per studenti, con mobili dozzinali, di seconda mano, che probabilmente provenivano da mercatini dell'usato, o erano lí da chissà quanto. Sparse intorno, montagne di libri impilati che sembravano sempre sul punto di crollare, fogli dattiloscritti sparpagliati ovunque, e nell'aria una nota acida di colori a olio e solventi per pittura. Appesi alle pareti, decine e decine di ritratti di visi stilizzati e obliqui, altri molto piú curati, che ti fissavano come fantasmi.

Io, al contrario, abitavo in un monolocale minimalissimo in zona San Zeno, quasi del tutto vuoto a parte il tavolo da disegno che troneggiava dopo l'ingresso, dormivo ancora col materasso per terra e l'unica parte della casa ben attrezzata era la cucina.

Il giorno in cui si affacciò l'idea di andare a vivere insieme eravamo da me.

Erano le nove e mezza di sera, lei stava stesa sul divano a fumare con un bicchiere di vino in mano, mi osservava mentre cucinavo. Per la terza volta in una settimana era andata via la corrente, e stavo impanando cotolette a lume di candela. Era stata una sua specifica richiesta, perché «il fritto ha il grande potere di rendermi felice», aveva detto. Nell'attesa che l'olio di semi si scaldasse sul fuoco, vedevo gli occhi verdi di Nadia scintillare nella penombra. Aveva questo modo di guardarsi sempre attorno, anche negli ambienti piú familiari, come se la volta precedente le fosse sfuggito qualcosa.

– Il tuo appartamento è molto piccolo, – disse.

– Non posso negarlo.

– Il mio è piú grande e in un quartiere che adoro, ma vivo con le narici bruciate dall'odore di acquaragia e pittura.

– A me l'odore di pittura non dispiace.

– E Francesca è una pazza con orari imprevedibili, che un giorno farà crollare il muro a forza di appenderci i suoi quadri incompleti.

– Alcuni non sono male, però.

– E nonostante questo, – aggiunse con una punta di rimpianto nella voce, – ho sempre saputo di non voler rinunciare al mio covo puzzolente.

– So bene cosa vuoi dire, – dissi, e indicai il mio monolocale con un movimento circolare ed enfatico del braccio, come un latifondista che mostra i propri possedimenti. Nadia sorrise.

Ci fu una pausa, riempita dal rumore liquido delle uova che stavo sbattendo in una scodella bianca.

– Sai che diceva David Grossman sulle relazioni? – disse.

– No.

– Diceva che svelare a una persona qualcosa che non sa di sé è il piú grande atto d'amore.

Sollevai la testa dalla scodella.

– E io cosa non saprei, di me?

– Non parlavo mica di te.

– Non capisco.

– Lo so, tu non capisci mai niente. Ma in fondo è il tuo bello.

Si chinò in avanti per spegnere la sigaretta nel bicchiere, si alzò dal divano, percorse il metro e mezzo che ci separava e mi attirò a sé con un bacio potente, incendiario.

Terminai di impanare le cotolette a mezzanotte e un quarto.

Le mangiammo a letto nudi e in silenzio, intingendole nella maionese.

9.
L'amore è un privilegio

Mi rendo conto che forse sto esagerando col ricordo dei giorni felici. Ma sappiamo tutti come succede quando le cose funzionano. La velocità con cui sembra procedere la vita quando siamo innamorati, una barca sospinta da un vento che prima non c'era.

Arrivarono presto una vacanza in Portogallo, un maggiolone comprato insieme a rate, poi la casetta con le persiane verdi e un piccolo giardino che prendemmo in affitto nella frazione di San Michele. La festa per inaugurarla, col barbecue che bruciò fino a notte fonda, i vicini anziani che si lamentarono per la musica alta e Nadia che li invitò a scendere e a unirsi a noi, con quel suo modo di fare che pareva promettere scoperte irrinunciabili, e il risultato fu che il quasi ottantenne Renato e sua moglie Ester si ritrovarono a ballare stretti sulle note di *Wonderwall* degli Oasis in un orario nel quale, di solito, erano a dormire da un pezzo.

Arrivò il matrimonio dopo otto mesi di convivenza, organizzato senza tanti fronzoli, in tempi in cui una certa insensata fiducia nel futuro era ancora possibile senza sentirsi in colpa. Il suo abito giallo di cotone che le lasciava scoperta una spalla e provocò il disappunto di mia madre, perché non era un vestito da sposa. Nadia che l'aveva scelto proprio per quello. – Cosí potrò indossarlo anche dopo, ogni volta che vorrò ricordarmi com'è essere felice, – mi disse mentre non riuscivo a smettere di guardarla, infilato nel completo nero chiesto in prestito a mio fratello che mi faceva somigliare a un cameriere. – Sembrate Ambrogio e la contessa! – sottolineò Marco immancabile, quando ci vide, nell'ilarità generale.

Ma non la mia. Perché io, se me lo avessero chiesto, avrei risposto che non potevo immaginare niente di piú bello che passare il resto della vita a servire quella che adesso, finalmente, era mia moglie.

Infine, arrivò la vita a due e quella cosa che non ha nome di quando la tua intimità comincia a diventare la sua.

Nadia che non rinviene mai prima delle dieci, io che mi alzo tutte le mattine alle sei. Nadia che dorme vestita a strati e mi ruba le coperte nel sonno, io che dormo in boxer anche in pieno inverno. Nadia che al risveglio fa la pipí appollaiata sulla tazza, stringendosi le ginocchia contro il petto, io che piscio seduto con la testa fra le mani, come i vecchi. Nadia che fa colazione con spremuta d'arancia e uova al prosciutto e fette biscottate imburrate, io che bevo una tazza di caffè amaro. Nadia che ama il gusto acido ma odia il piccante, io che mi mangio gli Habanero a morsi e condisco l'insalata solo con olio e sale. Nadia che invade l'ambiente circostante, se ne appropria, lo fa diventare estensione di sé, dissemina libri e vestiti ma perfino nel suo caos intravedi un ordine rigoroso, io che mi adatto a quel che c'è e sono in grado di restare cinque anni senza cassetta della posta.

Fu un bel periodo, ci bastava quel che avevamo. Eravamo del tutto a fuoco l'uno negli occhi dell'altra.

Naturalmente, cominciammo presto a scoprire anche i difetti, le cicatrici, gli inestetismi, i peli sulla schiena, la ricrescita sulle gambe, la sua colite, la mia stitichezza, il suo orecchio destro leggermente a punta che io chiamavo «signor Spock», il mio braccio sinistro che nelle serate di pioggia mi dava fastidio e che Nadia chiamava «il mio piccolo reduce», le mestruazioni dolorose, la dermatite, i minimi disturbi che intaccano a poco a poco l'immagine di chi amiamo, ce la rendono familiare ma anche ci ridimensionano, una geografia umana che giorno dopo giorno diventa una specie di catasto di ciò che siamo, mentre i luoghi in cui ci attende la meraviglia dell'ignoto, della scoperta, sembrano poco per volta esaurirsi e noi ci chiudiamo dentro, ci barrichiamo nel vizio del quotidiano, ci illudiamo di stare bene, rendiamo le nostre distanze dal resto del mondo sempre meno navigabili, fino a divenire irraggiungibili. Fino quando, in questa progressiva resa al reale, arriviamo quasi a considerare quell'amore caldo, da cui tutto è partito, un ingrediente scontato o superfluo. Smettiamo di stappare il vino insieme in cucina, cominciamo a bercelo piú spesso da soli, ci addormentiamo davanti a un brutto film, ci raccontiamo che va bene cosí, che la prerogativa della magia è, in fondo, proprio quella di essere temporanea.

Lo lessi una volta, da qualche parte: l'amore è un privilegio. Non è un elemento previsto dalla natura, ma un'invenzione umana. Pare che la natura viva benissimo senza. Il mondo vive, respira, lotta, muore e risorge ogni giorno per necessità. Senz'amore.

Ma se alcuni amori fossero una forma di necessità?

La nostra storia era nata cosí: due poli che si erano attratti, inesorabili. Una necessità elettromagnetica che era riuscita ad attraversare il tempo. All'inizio ci eravamo sentiti quasi dei predestinati, la marea che vedevamo sommergere gli altri non avrebbe mai dovuto raggiungerci.

E poi, lentamente, ci raggiunse.

10.

Mickey Rourke

Tutti nascondiamo, chi piú chi meno, la storia di un fallimento.

Albert Einstein avrebbe voluto fare il velista, Jacques Derrida sognava in realtà di fare il calciatore, Woody Allen ambiva a essere il clarinetto solista in una band. Mickey Rourke avrebbe preferito fare carriera come pugile. Io volevo fare l'architetto, invece finii a fare il cuoco.

Cominciai senza troppa convinzione, un anno dopo il matrimonio, quasi per ripiego.

Un amico dell'università aveva aperto un'osteria, ricordava la mia disinvoltura ai fornelli ai tempi dello studentato, sapeva che con la professione non stavo ingranando – lavoravo in un noto studio di architettura veronese, sottopagato e sfruttato, ormai da quattro anni – e che avevo bisogno di soldi. Una sera, davanti a due birre medie, Carlo disse: – Mi serve uno in cucina, se vuoi ti prendo in prova –. Come io sia riuscito a farne un lavoro ben retribuito, senza partire da studi specifici e venendo da una visione del cibo basilare e assai pragmatica – per mia madre la preparazione di un piatto non doveva occupare piú tempo di quel che sarebbe servito per mangiarlo, ero stato cresciuto cosí – resta un mistero anche per me. Non era un impiego che amavo in modo particolare, era un lavoro e basta.

Nadia aveva cambiato tutto.

Era stata lei la prima a rivoluzionare il mio approccio.
«Un buon piatto, – diceva, – è una maniera per prendersi cura di qualcuno. Il fatto che un alimento, quella singola pietanza, entri nel corpo della persona per cui l'hai cucinata, è un gesto di profonda intimità, un vero atto d'amore. Il risultato del tuo lavoro diventa letteralmente parte degli altri. Ci vuole una vocazione autentica».

Fu una rivelazione. Cominciai a studiare, ad apprendere nuove tecniche, ad appassionarmi, a pensare alle combinazioni degli elementi quasi stessi disponendo un progetto. Col vantaggio che, rispetto all'architettura, il processo che separava l'idea dalla sua realizzazione era infinitamente piú breve. Lei assaggiava tutto, era il primo giudice di ogni mia proposta.

Nadia, va detto, ha un palato raffinatissimo. Sono convinto che, se avesse voluto, sarebbe potuta diventare un ottimo chef, molto migliore di quanto io avrei mai potuto sperare di essere. Solo, non le interessava. Del resto, non sempre le nostre attitudini coincidono con le nostre ambizioni. E Nadia desiderava un'unica cosa: scrivere.

Al tempo del nostro incontro aveva già pubblicato un romanzo per un piccolo editore, subito dopo il matrimonio se ne uscí con uno piú corposo, per una casa editrice di maggiore rilievo, finí addirittura in un paio di antologie come promessa della «letteratura femminile», espressione che odiava. Adorava scrivere avendo la casa tutta per sé, mentre io ero al lavoro, e recitare i dialoghi dei suoi personaggi passeggiando scalza per il nostro soggiorno. Mi faceva leggere le sue cose con una fiducia che, lo ammetto, forse non meritavo, come se mi stesse consegnando un segreto che il mondo non era ancora pronto per ricevere. Mi chiedeva pareri e impressioni a caldo. Io non le ero molto utile, per me andava bene tutto solo perché lo aveva scritto lei.

Le attenzioni degli editori scemarono però prima del previsto, Nadia tentò per un certo periodo di inseguire ciò che parevano chiederle, ma alla fine non se lo perdonò. Rimase per un po' in quel limbo in cui non si capisce bene se sei ancora una giovane promessa, oppure una potenzialità editoriale precocemente bruciata, poi la sensazione di sconfitta prevalse. Iniziò a lavorare a un romanzo lunghissimo, interminabile, che custodiva dall'incomprensione del mondo esterno, e a inanellare una serie di lavori: la guida turistica, la barista, la segretaria nello studio di un medico, l'operaia, per finire in ultimo a collaborare con un quotidiano locale e a fare l'ufficio stampa per un paio di riviste. Quel che le sembrò una salvezza. Ma, anche sui giornali, la verità che cercava attraverso le sue parole non le era quasi mai consentita. Scrivere passò dall'essere la sua cura, ciò che la teneva accesa e viva, a essere fonte di frustrazione.

Io tornavo spesso tardi la sera, dopo che ero uscito presto la mattina per la spesa al mercato e per organizzare la linea. Oltre a questo, lavoravo soprattutto nei giorni in cui gli altri facevano festa. Quando rincasavo, Nadia era lí ad aspettarmi, vigile e accogliente. C'erano sere in cui pensavo che il mio lavoro avesse senso solo perché sapevo che sarei tornato da lei. Mi chiedeva com'era andata, io le raccontavo dei clienti con cui mi capitava di conversare ai tavoli al termine del servizio, ne facevo le imitazioni, la divertivano in un modo che vivevo come un inatteso regalo. La sua risata mi rimetteva al mondo ogni volta, salvandomi dalla mia mediocrità, anche quand'ero stravolto di stanchezza. Facevamo l'amore senza tanti fronzoli, in una sorta di naturale continuità fra le parole e i corpi, cascando l'uno dentro l'altra rapidi e voraci, quasi stessimo consumando un rapporto clandestino. Eravamo due amanti che si rinnovavano il loro appuntamento nella notte. Ma ogni notte è destinata

a finire e, per due anime innamorate, poche cose possono essere piú temibili della luce del giorno.
— Chi sei tu che, schermato dalla notte, inciampi cosí nei miei pensieri? — mi disse una volta Nadia, subito dopo il sesso, mentre fuori dalla finestra si intravedeva il chiarore della Luna.
— Bella. È tua?
— Magari, — disse. — È del piú grande di tutti.
— Michael Jackson?
— Scemo. Comincia per s.
— Superman!
Mi tirò forte la barba, proprio sotto il mento.
— Ahia! Ma che ne so io!
— Dubita che le stelle siano fuoco, dubita che si muova il Sole in cielo, dubita che la verità sia vera, ma del mio amore mai non dubitare, — disse lei, la sua testa appoggiata al mio torace, il suo orecchio sul mio cuore.
— Va bene, mi arrendo.
— No, per favore. Con me non arrenderti mai.
Nadia alzò gli occhi verso i miei, io li abbassai verso i suoi.
— Okay, te lo prometto, — dissi. — Allora è di sicuro Sting.
— Sei un deficiente! — disse, le sue risate ci facevano tremare sul materasso.
Da quella notte, negli anni seguenti, ho avuto conferma di tre cose.
Nadia conosce Shakespeare praticamente a memoria.
Anche i piú grandi possono avere torto.
Io sono un deficiente che cerca sempre di mantenere le promesse.

11

Vuoti

Nel nostro progressivo allontanamento, il lunghissimo romanzo ebbe il suo peso.

Nadia passava piú tempo su quello che su tutto il resto. Ma, naturalmente, non veniva pagata. Questo era per lei motivo di tensione, e la faceva vivere tormentata dai sensi di colpa nei miei confronti, soprattutto da quando la mia assunzione in osteria era diventata a tempo indeterminato. A lungo si era sforzata di tenerli a bada, collezionando impieghi che considerava sempre provvisori, e che poi abbandonava non appena cominciavano a ingranare. Era il suo modo per dire: non mi avrete mai. Non riuscirete a distrarmi dal mio unico scopo, dal tentativo di fare «buona letteratura», come amava chiamarla – definizione che sembrava appartenere piú al piano etico che a quello estetico – e dall'essere riconosciuta per questo.

Nella sua vita non sarebbe potuto accadere nulla di davvero rilevante, finché lei non ce l'avesse fatta.

Prima di approdare al giornale, che giudicò un compromesso tollerabile, aveva da poco iniziato a fare i turni di notte, in un'azienda che produceva mangimi per polli. Era un buon posto, l'azienda era abbastanza vicina, le lasciava intere giornate per scrivere.

Una sera di quel periodo, rincasai stravolto dopo un servizio piuttosto pesante. L'intera osteria era stata prenotata per una cena di laurea, le conseguenze sono immaginabili.

Entrando in casa notai che la porta si apriva a fatica. All'ingresso, c'era ancora il bidone del vetro ricolmo di bottiglie e vuoti vari. Avevo chiesto a Nadia di metterlo fuori, per la raccolta a domicilio settimanale, prima di uscire per il turno, perché alcuni barattoli avevano cominciato a puzzare. Trovandolo ancora lí, subito sorrisi pensando ecco, è la solita, non si ricorda mai niente. Lo portai in strada io, nella vana speranza che il camion non fosse ancora passato per il giro serale, quindi rientrai, mi tolsi le scarpe e mi diressi in camera.

A sorpresa, trovai Nadia seduta al centro del letto, in mutande e canottiera, china sul portatile sul quale digitava in maniera furiosa, assorta in una specie di trance.

– Ehi, – dissi, – ma stai bene?

– Perché?

– Non avevi il turno, stasera?

– Stasera no. Stasera mi ha preso questa cosa e devo per forza...

Tutto mi risultò chiaro.

– Ma hai avvisato?

Nadia smise di scrivere. Alzò la testa dal portatile.

– Piú o meno, – disse.

Ci guardammo.

– Insomma, mollerai pure questo lavoro, – mi sfuggí, con una venatura di paternalismo che non mi apparteneva.

– Non è importante, cazzo! – gridò lei, con una voce che non sembrava la sua.

Avrei voluto dirle che era importante sí. Che nella vita di chiunque esistono piccolezze tipo pagare l'affitto, le bollette, lavare i piatti, chiamare l'idraulico quando la caldaia perde. Che non puoi arrivare sempre quando tutto è fatto. E che senza citare gli innumerevoli esempi di scrittori, anche famosissimi, che avevano prodotto le loro opere in mezzo a vite difficili, o svolgendo altri lavori in contemporanea, avrei voluto dirle che facevo fatica a comprendere quest'idea di artista che se ne dovrebbe stare col culo al caldo, al riparo dall'esistente, perennemente compreso nei suoi repentini sbalzi d'umore. E che se avesse passato meno tempo a sentirsi sconfitta e ne avesse impiegato di piú, che so, a rispettare un impegno, a tenere pulito il bagno, a fare una cazzo di lavatrice, a svuotare il frigo dai suoi bricchi di latte andati a male, ecco, forse quelle ore di pulizia del bagno, o di svuotamento del frigo, o eccetera, avrebbero costituito per la sua ispirazione un beneficio molto maggiore di qualche ora in piú di scrittura. Perché l'utilità di quel tempo lí è di tenerci in contatto con la realtà elementare delle cose, se è vero che il territorio della scrittura – come mi aveva spiegato lei un giorno – «è la vita vera». Ma ogni volta che questi pensieri mi assalivano li respingevo con forza, perché mi sembrava di non essere io a pensarli, ma un mio alter ego che viveva ancora negli anni Sessanta. Uno che sognava una donna semplice, lineare, senza tanti grilli, che facesse un lavoro comune e volesse essere portata a cena fuori il sabato e al cinema la domenica. Che volesse passare le ferie a Jesolo, che si occupasse della casa e di fare lavatrici. Mi vergognavo, perché avrei voluto sognare invece una donna complessa, dalla sensibilità urticante e l'intelligenza brillante, una donna che mi comprendesse dallo sguardo ma con gli occhi velati da una perenne e indelebile malinconia contro cui nessuno, nemmeno io, avrebbe potuto fare niente mai. Una donna come Nadia.

Certi giorni, avrei voluto che Nadia non ci fosse per poterla desiderare ancora, per sognare che esistesse da qualche parte, per avere nostalgia di un chissà. Invece era lí con me, davanti a me, seduta sul letto, nella sua postu-

ra da autrice invasata, e io riuscii solo a dire: – Non hai
buttato il vetro.

– È che mi piacciono i vuoti, – disse lei, con una punta di sarcasmo.

Mi tornò in mente Marco, quel che mi aveva detto sui
vuoti con sua moglie, e sui loro silenzi che non riusciva
piú a sopportare.

– Tu non capisci, la scrittura è tutto ciò di cui m'importa, – disse. – Lo hai sempre saputo.

– Tutto? – dissi.

– Tutto.

Mi guardò fisso negli occhi, poi un'intuizione la illuminò.

– A parte te, – aggiunse, circa tre secondi dopo.

Ma tre secondi, quando si parla d'amore, possono fare la differenza.

12.

Illusioni

Ciò nonostante, io l'avevo sempre sostenuta, perfino nei momenti in cui pensavo che la sua ambizione, il suo deside-rio ossessivo di raccontare quella storia, stessero logoran-do la nostra. La prima volta che me ne aveva fatto leggere uno stralcio, lo confesso, non mi era piaciuto come avevo sperato. Era una storia cupa, che parlava della relazione impossibile fra due donne nella Sardegna del dopoguerra. Non sono un critico letterario, non sono mai stato nem-meno un lettore forte, a dirla tutta, ma la sua fiducia mi gratificava, e io credevo di gratificare lei mentendole a fin di bene. Le dicevo «meraviglioso», «vai avanti», «mi sem-bra un lavoro di grande qualità», oppure facevo domande sulla trama, avventurandomi addirittura in ingenui sug-gerimenti sul proseguimento. Fino a quando Nadia, poco per volta, non sentí la necessità di proteggere la sua opera anche da me. Forse si accorse delle mie menzogne, forse non mi ritenne piú all'altezza. Da allora smisi di dare con-sigli, se non espressamente richiesti. Smisi con le doman-de. Questo dimezzò le nostre occasioni di conversazione, perlomeno su una cosa vitale per lei. Dimezzò, in una sorta di speculare contrappeso, pure le domande sul mio lavoro. Diminuirono i baci sul collo, mentre in cucina mi spiegava qualche passaggio problematico nei dialoghi, si ridussero le occasioni in cui cercavo di farla ridere per alleggerirla dalla tensione creativa, tutti i momenti in cui mi puntava addosso il suo sguardo appassionato sventolando dei fogli e io fingevo che quello sguardo fosse solo per me.

Una delle mie caratteristiche, ve ne sarete accorti, è quella di incantarmi a scovare il passato nel presente. Non è una forma di nostalgia, è piú una specie di gratitudine, la consapevolezza che la luce che viviamo oggi nasce in un tempo distante, a volte lontanissimo. Come quella delle stelle quando alziamo gli occhi verso il cielo. Un matrimonio funziona allo stesso modo soprattutto per le fasi critiche: gli effetti che un giorno ci investono possono essere la conseguenza di un'esplosione accaduta molti anni prima.

Quando il romanzo di Nadia divenne solo cosa sua, una parte di me la visse come una sconfitta. Ma la verità è che fu anche un sollievo, perché avevo paura di scoprire, proseguendo nella lettura, che tutta la sofferenza, tutto il tormento che quella storia le provocava, tutto il tempo e la vita che le avevano rubato, non erano serviti a niente. Non riuscivo a fare a meno di pensare che se il sogno di scrivere, di pubblicare, diventa un incubo bavoso che fagocita il resto, comprese la voglia e il divertimento del raccontare, se ci rende persone che trascurano le storie reali per investire su quelle immaginarie, allora l'ambizione può trasformarsi in illusione.

Le nostre illusioni sono spesso le convinzioni piú importanti che abbiamo. E di una cosa ero certo: non volevo essere io quello che avrebbe tolto a Nadia le sue, perché facendolo l'avrei ferita nel profondo.

Non sono mai stato bravo a gestire il dolore degli altri.

Non sono mai stato bravo nemmeno col mio.

13.
Quel che c'era

La ferita arrivò lo stesso, da tutt'altra parte.
L'ansia di diventare genitori non ci aveva mai assaliti. Pensavamo che, se doveva accadere, a un certo punto sarebbe successo e basta. Oltre a questo, sapevamo bene che i miei orari all'osteria non avrebbero reso le cose semplici, che le giornate di Nadia per scrivere sarebbero state compromesse, che se lei avesse smesso di garantire massima disponibilità al giornale ci sarebbero state conseguenze. Prendevamo perciò le nostre precauzioni, ma a intermittenza, senza essere troppo scrupolosi, quasi volessimo lasciare aperto uno spiraglio per un'ipotesi che non dipendesse, necessariamente, dalla nostra volontà. Non credevamo in quella cosa sui figli che cementano una coppia – né credevamo di averne bisogno – perché avevamo quattro amici che si erano lasciati proprio in seguito alla loro genitorialità, e mio fratello e sua moglie erano sulla buona strada. Bianca e Matilde, le loro due bambine, parevano piombate nelle loro vite per esacerbare le reciproche diversità e insofferenze, invece che per trasformare un'unione in progetto. Essendo le persone che frequentavamo piú spesso, questo aumentava la nostra diffidenza. Non volevamo nemmeno avere figli solo come assicurazione sulla vecchiaia, non volevamo dare un nuovo senso alle nostre vite, il senso che avevamo insieme ci andava benissimo cosí.

Forse avevamo soltanto paura. Forse ci piaceva l'idea di lasciar fare al destino. Gli anni corsero via, ormai facevamo del tutto a meno delle precauzioni ma i figli non arrivavano. Da un lato ne ero dispiaciuto, dall'altro la situazione mi permetteva di scrollarmi di dosso la responsabilità di una scelta: non avevamo deciso noi. Non era capitato e basta. Proseguimmo con la sensazione di essere stati, almeno in parte, depredati di qualcosa. Ma non ci furono disperazioni, perché Nadia era da sempre allergica ai ruoli definiti, alle costrizioni maschiliste, alle aspettative sociali. Tante volte l'avevo sentita ripetere che una donna non ha bisogno di essere madre per potersi realizzare, molte altre l'avevo sentita intollerante al pregiudizio che la maternità fosse l'unica condizione in grado di contenere il suo futuro per intero. Quanto a me, qualcosa dentro lo considerò una specie di salvezza. Almeno, mi dicevo, non avrei mai corso il rischio di abbandonare nessuno, come aveva fatto mio padre con noi.

Avremmo potuto eseguire degli accertamenti, approfondire le cause. Perché non lo abbiamo fatto? Forse avevamo paura di trasformare una possibilità in un problema, in una mancanza, a quel punto, irreversibile.

Ingenuamente, io pensavo che questo ci avrebbe uniti ancora di piú. Saremmo stati io e lei, per sempre, senza bisogno di qualcun altro a tenerci legati.

Eravamo una coppia di eroi romantici che non si sarebbe piegata a un'apparente desolazione: stare al mondo anche senza avere figli, senza il progetto di una famiglia, era di certo possibile. Doveva esserlo. Restare insieme, anche quando tutto sembra avverso, o cospira per renderti il viaggio piú difficile. Che significato aveva l'amore, sennò? Se ci fosse un piano prestabilito, un unico scopo, un'uni-

ca destinazione, a cosa servirebbe? Che progetto sarebbe?
L'atto piú rivoluzionario e autentico mi sembrava proprio
quello di amarci per una serie interminabile di giorni tutti
uguali, senza la speranza che ci fosse nulla piú di ciò che
c'era, con la convinzione che il nostro amore sarebbe di-
peso per intero solo da noi due.

Ma quel che c'era non fu abbastanza.

14.
Una cosa su di lei

Quando l'avevo conosciuta, Nadia era la ragazza piú vitale e incasinata che avessi incontrato mai. Sua madre era scomparsa presto, l'anno dopo la nostra maturità, consumata da un Alzheimer precoce che le aveva portato via la memoria prima e le parole poi, il padre invece, non appena raggiunta la pensione, aveva lasciato Verona e se n'era tornato a vivere al paesello, giú in Puglia. Credo questo c'entrasse con l'esuberanza famelica che Nadia brandiva come un'arma, e che sembrava usare per confermare di continuo la propria esistenza, ma soprattutto con la sua abitudine di prendere appunti su qualunque superficie le capitasse a tiro: foglietti, tovaglioli, sacchetti del pane, scontrini della spesa che mi era proibito buttare, perché ciascuno poteva contenere una nota importante, alcune voci di un elenco, il preludio di un ragionamento. Nadia era la donna delle annotazioni. Forse aveva il terrore che la vita, un giorno, potesse rubare le parole anche a lei. Forse era solo confusionaria.

Scoprii presto che aveva questa capacità di essere affabile e romantica un momento, e l'attimo dopo diventare malinconica e distante. Era in grado di cambiare stato d'animo decine di volte al giorno. Io sono pazzo, perché l'amavo pure per questo, ma era come amare il vento o un'onda dell'oceano: non è mai uguale. Il fatto è che il nostro cuore ama le cose difficili, essere sorpreso, mentre la nostra mente e le nostre ossa non amano la fatica. Cercano le situazioni facili, rassicuranti. Credo sia il motivo per il quale, alla fine, anche gli uomini piú illuminati finiscono spesso per sposare delle geishe. Una relazione deve dare forza, la forza è garantita dalla stabilità, la miglior forma di stabilità è la prevedibilità. Quest'ultima è all'origine della monotonia.

Con Nadia perfino la monotonia era complessa: la vita con lei non era un Do che si ripete a intervalli regolari, era piú simile a una partitura, Do Re La La Si La Re Do Do Do. L'unica maniera di salvarsi era impararla a memoria. Ma, non appena l'avevi appresa, mutava ancora.

Vivere con lei era stare con quaranta persone diverse. All'inizio, la facevo ridere quando col pugno chiuso le bussavo piano sulla testa, come in quella scena di *Ritorno al Futuro*. Le dicevo: «McFly, c'è qualcuno in casa? In quanti siete lí dentro?»

Nadia li chiamava i Quaranta ladroni.

Con i ladroni era addivenuta a un accordo. Mai piú di uno a comandare. Aveva un subconscio pluralistico, ma non democratico. Uno dei ladroni di volta in volta tiranneggiava gli altri e questo era quanto.

Ciò nonostante, per molto tempo Nadia era stata in grado di farmi sentire al sicuro, e io in grado di far sentire al sicuro lei. Eravamo diventati l'uno la casa dell'altro, insieme eravamo la nostra e per questo era stato tutto giusto da subito. Quasi perfetto.

Quando iniziarono ad aprirsi crepe sui muri, dapprima insignificanti, poi sempre piú evidenti, cercavo di continuo di mettere rattoppi, aggiustare, come fossi un capomastro o un responsabile di cantiere. Troppo tardi imparai che, per chiunque di noi, è impossibile prendersi la responsabilità di un'altra vita, perché le crepe che si aprono nelle giunture dipendono dalla contiguità di due materiali differenti e le asperità, gli attriti, fanno parte della scommessa. Non possiamo che cercare di essere responsabili per noi stessi, e sperare che basti.

Un giorno, eravamo sposati da qualche anno, uno dei suoi ladroni se ne uscí fuori a sorpresa, la mia testa era appoggiata sulle ginocchia di Nadia mentre stavamo guardando un film a noleggio. Al solito, da Blockbuster avevamo impiegato piú tempo per sceglierlo di quello che ci avremmo messo a guardarlo, perché lei amava i film drammatici, i polizieschi dai sottili risvolti psicologici, i personaggi tormentati e oscuri, io invece ero uno da commedia romantica o documentari sugli oceani, e trovare un compromesso era spesso difficile. Quel pomeriggio avevo vinto io. Durante la visione scherzavamo sul fatto che, secondo lei, entro qualche anno sarei diventato calvo. Continuava a girarsi una mia ciocca di capelli attorno all'indice, guardando distratta il film, e all'improvviso disse: – Siamo cosí diversi, Miles. Non abbiamo niente in comune a parte la nostra voglia di essere qui.

La fissai da sotto in su. Non sapevo spiegarmi da quale profondità, a proposito di cosa, fosse affiorata quella frase.

– *Titanic* non è cosí brutto, dài. E poi abbiamo in comune che siamo diversi, ti pare poco?

Mi sorrise quasi amara e si alzò dal divano, scivolando via proprio mentre stavo per abbracciarla.

15.
Solitudini

Poi successe.

Una notte, d'un tratto, Nadia mi chiese se potevo lavarmi prima di venire a letto. Perché l'odore di cibo che mi portavo addosso, di ritorno dal lavoro, aveva cominciato a darle fastidio. Un'altra notte, la trovai addormentata. Accadde anche quella seguente e quella dopo ancora. Poco per volta, smise di aspettarmi alzata.

Io smisi di svegliarla, mi accontentavo di guardarla dormire. Tanto, tempo ne avevamo, ne avremmo avuto. C'era una vita coniugale intera, davanti a noi, per l'amore.

Una parte di me, però, la visse come una piccola ma dolorosa ingiustizia. Alla quale subentrò troppo presto una timida rassegnazione, quasi un risentimento: amavo tutte le sere degli sconosciuti attraverso la mia cucina, ma quando ritornavo non potevo piú amare l'unica persona di cui m'importasse davvero. Non potevo piú parlarle, ascoltare il suono della sua voce, scherzare con lei, sentirmi cosí grato per quell'impressione di essere passeggeri notturni in uno scompartimento solo nostro. Erano piccole felicità che talvolta recuperavamo in differita, ma non era piú la stessa cosa. I miei rientri iniziarono a somigliare alle solitudini che si provano quando si vive ancora con i genitori, quando si esce la sera e si rincasa tardi in una quiete domestica che si teme d'incrinare.

È normale, mi dicevo, è l'intimità che sta evolvendo in vita vera. Fra poco litigherete per cose come «ti sei dimenticato di pagare la bolletta del telefono!» e «piantala di disseminare in giro per la casa tutte queste tazze mezze piene di caffè!» e «spremi questo cazzo di tubetto del dentifricio a partire dal fondo!»

Cose cosí.

Io continuavo a lavarmi lo stesso.

16.
Una cosa su di me

Quando avevo nove anni ho perso un braccio.
Era il periodo delle ciliegie, era sabato mattina, stavo con mio fratello in campagna dai nonni.

Essendo io quello piccolo, toccava a me la parte dell'arrampicata. Salivo sull'albero e lanciavo manciate di ciliegie a mio fratello che da sotto le prendeva. Certe volte faceva questo gioco che si inginocchiava nel prato e io gliene tiravo alcune direttamente nella bocca spalancata, e non ho mai capito come facesse ma riusciva a ingoiarle per intero, nocciolo e tutto, deglutendo senza masticarle. Io mi sbellicavo, in bilico sui rami.

Quel giorno risi un po' troppo, persi l'equilibrio, caddi giú.

Sarei dovuto atterrare sull'erba alta e soffice, invece nell'impatto col suolo sentii una specie di puntura al braccio sinistro, molto forte, seguita da un dolore che, a pensarci, non riesco a paragonare a niente. Ricordo Marco che si avvicinava dapprima ridendo, la sua sagoma in piedi sopra di me nel sole accecante delle undici. Il fotogramma preciso di quando lo vidi sbiancare e correre via.

Io non sapevo se piangere o che, il male era cosí intenso che non mi riusciva nemmeno di gridare, mi sembrava che i miei polmoni non contenessero piú aria. Mi sentivo la maglietta tutta bagnata e non capivo come avessi fatto a sudare cosí tanto e quando realizzai che era sangue mi portai d'istinto la mano al braccio sinistro ma, dove avrei dovuto trovare il braccio, non c'era niente. Sotto il ciliegio, il nonno aveva dimenticato la falce. Era coperta per intero, nascosta dall'erba alta che avrebbe dovuto tagliare da settimane. La nonna glielo diceva di continuo: «Arturo, taglia 'st'erba che ci s'infrattano le bestie!» Invece ci ero finito dentro io, e la falce aiutata dal peso del corpo in caduta aveva tranciato il mio braccio bambino di netto.

Rivedo Marco mentre corre verso di me, stringendo fra le mani un sacchetto di plastica celeste che gli dondola contro le ginocchia e sembra troppo pesante per lui. Il sacchetto bucato che perde gocce gelide sulla mia faccia, e io che ancora adesso non so spiegarmi come abbia fatto mio fratello, a soli tredici anni, ad avere una tale prontezza di spirito: mi annodò fortissimo uno straccio attorno a quel che restava del bicipite, fermando il sangue, poi prese il mio braccio e lo infilò nel ghiaccio come una trota appena pescata dal fiume. Da lontano intravidi anche il nonno, poco prima di perdere temporaneamente la vista. Lo shock, mi dissero in seguito.

Nonostante quello, non svenni mai. Ricordo il tragitto in ambulanza, le sirene che mi trafiggevano le orecchie, la mano sinistra che mi prudeva, infilzata da centinaia di spilli.

Però la mano non c'era.

Il braccio non c'era.

Eppure, io lo sentivo ancora.

Mi risvegliai in terapia intensiva, dopo un intervento chirurgico durato diciotto ore, al quale seguirono negli anni altre sette operazioni. Ma i medici riuscirono a riattaccarmi il braccio e a ripristinare muscoli e nervi.

Ancora oggi, il braccio sinistro è rimasto un po' piú

piccolo del destro, come se si fosse sviluppato in maniera autonoma rispetto al resto del corpo.

Ancora oggi, non riesco a dimenticare la tremenda sensazione di avere una parte di te che non è piú attaccata a te. Tua, ma non piú tua.

Mi accadeva lo stesso ogni volta che guardavo la schiena di Nadia nel letto, ogni volta che percepivo il suo non amore, quando sentivo il suo distacco, la sua sofferenza ch'era la mia. Il nostro sprofondare nell'erba alta dei giorni. E avrei voluto che ci fosse qualcosa in grado di arrestare la nostra caduta, il nostro mulinare con le braccia nel vuoto, qualcuno in grado di impedirci di andare in pezzi e farci tornare quel che eravamo stati.

Ma non importava a nessuno, eravamo da soli.

C'era lei, c'ero io.

Spettava solo a noi.

17

La forma originaria delle cose

A un certo punto, tentammo la strada della terapia di coppia.

Andammo due sole volte. La prima, Nadia e io eravamo seduti uno accanto all'altra, a un metro e mezzo di distanza da un uomo della mia età calvo e allampanato, che ci osservava attraverso i suoi occhiali tondi con lo sguardo di un entomologo. L'analista, gli va dato atto, non simpatizzava per nessuno dei due. Ci fissava con un'espressione dolente, come volesse mostrarsi davvero partecipe o preoccupato per noi.

Durante la seduta, cercò di convincerci ad ammettere il fallimento o la scarsa funzionalità del nostro modello relazionale – con la strategia tipica dei terapeuti, ovvero facendolo dire a noi – e ci disse che tutte le coppie partono dal fraintendimento di doversi *capire*, mentre in realtà si tratta solo di *accettare*. Insomma, avevamo sbagliato strada. Perché, alla fine, non c'è nulla di veramente eccezionale nella vita, solo quotidianità da condividere, emozioni spesso sopravvalutate, perdite continue, e gli altri che di certo non vengono al mondo per soddisfare le nostre necessità. Ed era normale che la passione si assopisse, era una cosa da aspettarsi, ma che – al netto dei possibili accorgimenti e reciproche attenzioni per tentare di ravvivarla – insieme dovevamo avere la forza di rivolgerci a nuovi traguardi.

Ci parlava neanche fossimo due coniugi decrepiti, reduci da un amore stantio, mentre eravamo due quarantenni che stavano insieme da poco piú di dieci anni. Non capivo se fosse una specie di provocazione terapeutica o che. Nadia, a un certo punto, raccontò che quand'era piccola stendeva i vestiti di sua madre sul letto e fingeva che fossero le sue sorelle, fu cosí che cominciò la passione per l'invenzione di storie e personaggi. L'analista la fissò come un giocatore che sta per dichiarare scacco all'avversario. Disse a Nadia che, nelle storie, i personaggi obbediscono sempre alla volontà dell'autore, e la similitudine che le stava suggerendo era fin troppo evidente. Che avesse ragione o meno, quello fu il preciso momento in cui perse la fiducia di Nadia, e qualunque futura possibilità di far presa su di lei. Quante volte, infatti, Nadia mi aveva confessato l'esatto contrario, che ogni autore che si rispetti è costretto a obbedire alle decisioni dei suoi personaggi, che anche per questo scrivere è una specie di consenziente schiavitú.

Io invece ero rimasto fermo alla prima frase dell'analista e continuavo a pensare che se una persona, a un certo punto della vita, si trova in un posto diverso o molto lontano rispetto a quello che aveva immaginato per sé, non è affatto detto che questo rappresenti la misura della sua sconfitta.

Nonostante le perplessità, decidemmo di tornare.

Fu alla nostra seconda seduta che l'analista, mentre parlavamo delle nostre differenze nell'approccio sessuale, se ne uscí con quest'immagine: – Dunque lei finge indifferenza, – disse guardando Nadia, – e lei scodinzola speranzoso attorno al letto facendo *yap yap*, – aggiunse guardando me.

Era vero. Nella sfera intima mi ero sentito spesso un cane in attesa che gli lanciassero un osso, ma lui, con quella frase, aveva reso macchiettistico il mio desiderio, pareva che mi stesse canzonando. Provai forte l'impulso di alzarmi, assestargli un manrovescio e fargli volare via dalla faccia i suoi occhiali tondi del cazzo. Anche Nadia se ne accorse.

– Non credo che abbiamo bisogno di questo, Miles, – mi disse all'uscita, con una venatura di tenerezza che non le apparteneva piú.

Fu la prima occasione in cui compresi che mia moglie mi stava commiserando, e che non ci potevo fare niente. Quando tornammo a casa facemmo l'amore, fu una specie di vendetta e risarcimento assieme, e anche se continuavo a percepire nelle sue carezze una compassione materna che rendeva l'esperienza quasi incestuosa, fu bello come non accadeva da tempo.

Dall'analista non tornammo.

Io dimenticai la tessera del mio codice fiscale nel suo studio, me l'aveva chiesta per compilare i dati della ricevuta che emetteva al termine di ogni seduta.

Mi chiamò tre volte per dirmi di passare a riprenderla.

Per quel che ne so, ce l'ha ancora nel cassetto della scrivania.

Ogni tanto mi chiedo che cosa sarebbe stato di noi se avessimo continuato. Ma sia io che Nadia condividevamo nel profondo l'idea che, se un amore ha bisogno di un arbitro, allora è un amore già spacciato.

Desistere fu la nostra maniera per tenere accesa una speranza, o almeno lo fu per me.

18.
Stare lí

Il fatto è che Nadia era la donna della mia vita.

L'avevo saputo fin dal primo momento.

Il mio sbaglio, oggi lo so, fu pensare che questa rocciosa certezza sarebbe bastata. Credere che quel che avevamo sarebbe rimasto, solo perché lo avevamo. Invece il tempo e la vita insieme continuarono a erodere i lineamenti della nostra relazione, fino a renderla irriconoscibile. Non eravamo originali in questo. Saperlo non mi dava alcun conforto.

Era come andare in giro con un coltello piantato dietro la schiena.

Non riuscivo piú a respirare, avevo nostalgia di tutto ciò che eravamo stati. A quarantasei anni suonati, mi mancava l'ingenuità di quando le cose non erano ancora diventate ostili e logore: fare colazione insieme il martedí mattina, il nostro percorrere i corpi con la fame degli esploratori, i vestiti buttati a terra e il fatto che non ce ne importasse niente, le pagine dattiloscritte che Nadia sparpagliava ovunque e che ora sembravano scomparse, il nostro lessico privato e giocoso, mi mancava soprattutto la fiducia che il nostro futuro insieme non sarebbe stato semplicemente diverso, ma migliore. Mi mancavano perfino i suoi piedi gelati la notte quando me li piazzava addosso. Io che glieli prendevo e li scaldavo fra le mani. Lei che diceva: «Mi fai il solletico» e li lasciava lí lo stesso.

Mi mancava quello che Nadia chiamava «il sesso da comodino», quando ce ne stavamo nudi, abbracciati e zitti
sotto le coperte, intrecciati come due piante, immobili come
due tartarughe, io dentro di lei senza muovermi, control-
lando la furia della passione, trattenendo la tensione del
desiderio lí, in bilico, senza darle sfogo, le sue mani calde
sulla mia schiena, le mie sul suo culo, le nostre labbra che
si sfioravano senza baciarsi e lei che, senza preavviso, mi
mordeva la punta del naso e quello era il segnale che voleva dire: vai, liberati dentro di me, io sono tutta attorno
a te, qui per te, qui per me, nessun altro posto sulla Terra
esiste se non questi quattro metri quadrati, adesso.

Invece, da quando le cose avevano cominciato a precipitare, le parole fra noi erano diventate una traduzione sca-
dente da due lingue estranee. E la nostra intimità era stata
sostituita da sporadiche concessioni che Nadia mi faceva,
quando riteneva che fosse passato troppo tempo, e di cui io
approfittavo provando poi, ogni volta, una sottile vergogna.
A un certo punto la mia vergogna aveva vinto, Nadia si era
sentita sollevata, i nostri corpi smisero di parlarsi del tutto.

Ultimamente, al ritorno dal servizio serale, mi capitava
di trovarla sdraiata in soggiorno. Inquieta, in ansia, si ad-
dormentava sul divano con la televisione accesa. Io me la
tiravo in braccio piano, cercando di non svegliarla, e la portavo in camera. In quei brevi istanti, stringendomela addosso piú forte di quanto mi avrebbe permesso di fare se fosse
stata in sé, la voglia di lei m'incendiava al punto che, piú di
una volta, ero arrivato a immaginare di violarla durante il
sonno. Ero come un ex alcolista con una bottiglia di liquo-
re sempre in casa. Invece la adagiavo nel letto, le tiravo su
le coperte fino al collo, mi trattenevo ad ascoltare il suo respiro nel buio della stanza. Infine, scendevo giú in studio.

Dentro il cassetto col lucchetto custodivo alcune vecchie foto di Nadia. Sono immagini scattate durante una delle nostre prime vacanze insieme. Nadia ha i capelli rossi disposti a raggiera sul cuscino a fiori, mi guarda languida dopo l'amore, ha un accenno di occhi lucidi, il corpo ancora caldo, le cosce bianchissime appena socchiuse, come una promessa. Io mi sedevo alla scrivania e mi masturbavo di nascosto guardandole, mi masturbavo e piangevo in silenzio.

C'è forse qualcosa di piú patetico? Credo che tradirla con un'altra donna sarebbe risultato piú giustificabile. Ma il fatto è che il mio intero immaginario erotico era finito con lei, in lei, Nadia era l'unica che io riuscissi a pensare di desiderare, e la mia ossessione era cresciuta con l'aumentare della nostra distanza.

Perché non glielo dicevo?

Perché ero sicuro che non sarebbe cambiato niente. Perché avevo già visto altri sogni, prima del nostro, frantumarsi contro l'implacabilità del reale. Perché sapevo che la verità era in fondo molto piú semplice della tragica patina con la quale mi ostinavo a indorare le nostre rovine: il matrimonio è un racconto che a un certo punto s'interrompe perché abbiamo finito le informazioni, perché ci stanchiamo di costruire narrazioni di noi stessi per l'altro.

Sappiamo già tutto, non c'è piú nessuna scoperta, il mondo sembra arrivato ai limiti dei suoi confini.

Non rimane che una convivenza su suolo noto.

Si tratta solo di stare lí.

19

Terzo piano

Questa è una storia di gabbie. Non doveva esserlo, era cominciata come una storia d'amore, ma forse i prigionieri hanno a che fare con gli amanti piú di quanto si creda. Perché lo sguardo di chi amiamo ci accoglie, però anche ci racchiude. All'interno di un'immagine che nega per principio ogni altra versione, tutte le altre possibilità di noi. Chi ci ama vede quel che abbiamo esposto andandogli incontro, ma il volto che mostriamo è solo una delle incarnazioni possibili, qualcosa che a un certo punto si è fatto avanti e ha detto: «Eccomi». Qualcos'altro, invece, dentro continua a urlare. Sono le parti di noi meno visibili, quelle negate per convenienza, tenute a bada per sicurezza, piú spesso dimenticate per noncuranza. Piante che crescono nell'ombra e di cui, in alcuni momenti, un germoglio riesce ad affiorare in superficie.

Il mio si affacciò alla luce poco meno di un anno fa.

Era l'inizio di maggio, era un sabato pomeriggio, mentre percorrevo in Vespa lungadige Teodorico avevo sonno e caldo e fame insieme, come un bambino capriccioso. Ma avevo promesso a mio fratello Marco di passare alla scuola di Bianca per una mostra, prima di attaccare in osteria. Bianca è la sua secondogenita, una ragazzina minuta e taciturna. La separazione di Marco e Anna aveva impattato su di lei con tutta la violenza che può avere su una quindicenne fragile. Matilde, la ribelle di famiglia, aveva proseguito invece sulla stessa linea di sempre, con l'aggiunta dell'alibi perfetto per i suoi radicalismi da diciassettenne arrabbiata. La diversità dei loro caratteri mi ricordava quella fra me e Marco, e le differenti reazioni al divorzio dei genitori somigliavano a quelle avute da noi due, quando papà se ne n'era andato. Volevo bene a entrambe, ma ero affezionato a Bianca per il piú banale e vile dei motivi: quasi quarant'anni prima ero stato lei. In piú, il fatto di non essere padre mi faceva vivere le rare richieste di partecipazione alle attività delle ragazze come una specie di indennizzo. Nadia, per la stessa ragione, non si era mai spinta oltre un tiepido affetto di facciata.

Era stato indetto un concorso fra gli studenti per progettare il nuovo logo della scuola, e quel sabato sarebbero state esposte le opere e premiate le piú meritevoli. Mia nipote era sempre stata abile nel disegno – anche se, piú di tutto, amava le discipline plastiche – e si era classificata terza. La premiazione si sarebbe tenuta alle quattro e mezza, nell'enorme aula magna attigua all'edificio principale. Un edificio che conoscevo, e il cui lontano ricordo era sufficiente a rendermi ansioso.

Bianca aveva scelto di frequentare lo stesso liceo in cui eravamo andati Nadia e io.

Sarei quindi rientrato nella scuola dalla quale, molti anni prima, ero uscito innamorato di una ragazza che non avevo mai visto. L'idea mi attirava e angosciava insieme e, per un attimo, contemplai l'ipotesi di sottrarmi con una scusa. Ma già Marco non ci sarebbe stato, la sua azienda di macchine agricole l'avrebbe tenuto impegnato con l'ennesimo convegno, e perciò si era tanto raccomandato la mia presenza, nel tentativo di limitare i danni. «Vai almeno tu, per favore, non lasciarla sola con l'aria da martire che metterà su sua madre», mi aveva implorato la mattina. Per questo, non sarei mai potuto mancare.

Appena Anna mi vide non evitò di rimarcare la cosa.

– Ho scelto il fratello sbagliato per fargli fare da padre alle mie bambine, – disse mentre parcheggiavo la Vespa.

– Ma forse hai scelto quello giusto per averle, – dissi io. Mi guardò stranita, consapevole dell'involontaria gaffe, io sorrisi per toglierla dall'imbarazzo e ci incamminammo verso l'ingresso.

Mentre entravamo, l'odore della scuola – carta e grafite e colla e un vago accenno di sudore adolescenziale – fece salire in me una dolce e dolorosa nostalgia, mista a terrore. Simile al turbamento che ci pervade da adulti nel sognare di ripetere l'esame di maturità. O almeno cosí mi dicevo per tranquillizzarmi.

Quando Anna mi chiese di indicarle i bagni, la tentazione vinse sulla paura e decisi di approfittarne per fare un rapido giro, prima di prendere posto. Non potevo resistere all'opportunità di tornare in quell'aula, respirare quell'aria, vedere se la disposizione era la stessa che ricordavo. Mi immaginai che Zanetti, a forza di bocciature, fosse ancora seduto là, nell'ultima fila. Risi da solo della mia sciocchezza. Arrivai al terzo piano col fiatone, camminando piano, ma mi resi conto che non era colpa delle scale.

Entrai dalla porta, carico di un'eccitazione infantile.

Niente era piú come lo ricordavo.

I banchi di formica verde erano stati sostituiti da anonimi banchi grigi. Al posto della piccola lavagna nera a cavalletto c'era un'enorme lavagna coi bordi in alluminio, appesa alla parete, che ne occupava la lunghezza quasi per intero. Non c'erano piú il portaombrelli sbeccato, i segni neri sui muri, l'attaccapanni di plastica, e i serramenti arancioni delle finestre a nastro erano stati sostituiti. Mentre passeggiavo fra i posti vuoti, il rimpianto e il timore lasciarono il posto a una sensazione di perdita. Mi sentivo un inquilino che, al rientro a casa, l'aveva trovata occupata da una famiglia di estranei. Mi incamminai verso l'uscita, pensando che cominciava a essere tardi e che Anna mi avrebbe di sicuro cercato. Sulla porta, mi voltai per un ultimo sguardo.

E in quel momento la notai.

Su un banco grigio in prima fila, nell'angolo in alto, c'era una piccola scritta.

Un minuscolo cuore sanguinante, spaccato a metà, disegnato forse con l'Uniposca. Due iniziali ai lati, S. e G., che sembravano voler contenere le due metà del cuore, impedendo loro di cadere giú. Sotto quelle, otto parole in stampatello:

«Vorrei incontrarti ancora una volta per la prima volta».

Fu come essere colpito da uno schiaffo.

Toccai la superficie fredda del banco, scivolai sulle lettere e le percorsi con le dita, una per una, i polpastrelli percepivano lo spessore delle parole, leggermente in rilievo, ero un rabdomante che aveva scoperto tracce d'acqua dopo una lunga siccità.

Il cellulare vibrò nella tasca, proprio in quell'istante. Staccai la mano dal banco per rispondere, era arrossata e calda, avevo l'impressione che tutto il sangue che avevo in corpo fosse confluito lí.

– Pronto?

– Dove sei finito? Stanno cominciando!

– Scusami, Anna, – dissi, – stavo giusto scendendo le scale.

Mi buttai in corridoio, iniziai a correre, mi precipitai giú dai gradini.

E poi accadde.

Grano

20.

Sette forse (l'uomo che non ami)

Cara Agnese,
come mi sembra strano scriverti.
Prima, qualunque cosa io volessi dirti potevo sussur-
rartela direttamente all'orecchio, fartela capire con gli
occhi, cantarti una canzone, prepararti un panino, ora
invece non ho scelta e mi tocca fare cosí.
Da quando mi hai lasciato sono passate tre settimane. Fuori è ancora primavera e le persone sono ancora
vive. Vanno al lavoro, in palestra, in bicicletta, al parco
giochi, al supermercato, a cena al ristorante, si amano e
si feriscono e si tradiscono e dopo guardano la televisione e il vicino continua a tagliare l'erba del prato tutti i
sabato mattina, alle nove in punto.
Negli ultimi giorni mi sono chiesto se esista un momento che definisce il resto della nostra vita. Un passaggio dopo il quale nulla è piú come prima. Ci ho ri-
flettuto a lungo e sono giunto alla conclusione che, se
esiste, per me questo momento sei tu.
Ho amato, di noi, quel che c'è stato e quel che non ci
sarà. Soprattutto, ho amato quel che ci sarebbe potuto
essere, anche se ormai non ha piú alcuna importanza.
D'un tratto è tutto cosí semplice e crudele.
Io ti amo e tu non mi ami piú.
Va bene, non ti ho scritto per recriminare, ma solo per
dirti che comprendo il tuo non amore. Per anni ho pen-

sato che la punizione peggiore che avrei potuto ricevere
sarebbe stata che tu mi vedessi con gli occhi con cui mi
vedevo io. Per questo il regalo piú bello è stato vedermi
a lungo attraverso i tuoi. Ma oggi il mio timore si è infine avverato. Non sono serviti i miei sforzi per cercare di
essere l'uomo che volevi. Eccomi, questo sono io: sono
l'uomo che non ami.

Ricordo come fosse ieri il giorno in cui mi hai detto
che amarsi è come cucire, che l'amore è un ago che buca
la pelle e le vene, una sofferenza necessaria per ottenere
un abito su misura. Mentre il nostro matrimonio, nonostante l'impegno, è sempre stato un pesante cappotto della
taglia sbagliata, un maglione troppo ampio, una coperta
nella quale avvolgersi e scomparire. Il matrimonio è una
consolazione, ecco tutto quello che è, ma tiene caldo solo se ci si seppellisce dentro. Forse ci vuole piú coraggio
per un'esistenza in maniche corte, mettendo in conto il
freddo, il vento, la siccità e la pioggia, continuando comunque a ridere in faccia alla tempesta.

Quand'è che, senza accorgercene, siamo passati dal-
l'amarci con urgenza all'amarci con pazienza? Quand'è
che il nostro amore si è indurito come un pugno?

Ti ricordi all'inizio? Quando ci siamo giurati che ci
saremmo sempre raccontati ogni cosa, convinti che l'a-
more che cercavamo non si fondasse sull'essersi ricono-
sciuti, ma sul volerci conoscere meglio di chiunque altro?

Il risultato è che oggi, che ci sappiamo a memoria, è
finito tutto.

Forse avremmo dovuto conoscerci meno, Agnese,
riservare dei segreti solo per noi, tenere su le maschere
della possibilità. Forse cosí ci saremmo amati nel modo
giusto, ammesso che ne esista uno, o semplicemente saremmo riusciti a essere ancora qui.

Invece ora tu te ne sei andata portandoti via i dischi dei Pearl Jam e le cinque stagioni di *Ally McBeal* e la collezione di tascabili di Simenon e l'orchidea comprata a Natale di due anni fa che è sopravvissuta per miracolo, almeno lei. Il resto della nostra vita insieme è in quattro scatoloni che contengono cosí tanta esistenza finita, e fanno bella mostra di sé in soggiorno, davanti alla porta, e io ho tutto quest'amore che mi fa scottare le mani, e i piedi, e non so piú dove metterlo, ne ho pieni i cassetti e il letto e la credenza e il baule della macchina. Cosa posso farne, Agnese? Come posso far sparire la voglia di stringerti ancora, la voglia di sentirti ancora ridere, la voglia di annusare ancora il tuo collo, la voglia di stare ancora dentro di te, la voglia di guardarti ancora mangiare i tortellini con le fragole?

Fino a quando ieri, all'improvviso, ho capito.

Ho capito che il mio amore non vale di meno solo perché tu non ci sei piú. Se dipendesse dalla tua presenza non sarebbe amore, ma nient'altro che un bisogno.

Quindi ti scrivo per dirti che questa persona che sono io, quel che sono oggi, continuerà ad amarti nonostante tutto, anzi continuerà a farlo proprio perché.

La differenza sarà che ti amerò da lontano, visto che da vicino non mi è piú permesso.

Ti amerò piano, senza che tu te ne accorga, ti amerò con la tenacia dell'ultimo Tic Tac che si incastra di sbieco sul fondo della confezione.

Forse un giorno ricomincerai ad amarmi anche tu, forse smetterò io, forse fra un mese incontreremo il nuovo momento che definirà il resto della nostra vita e tutto questo ci sarà sembrato chiaro e necessario.

Fino ad allora, prometto che farò quel che posso affinché il mio amore non ti disturbi, e che cercherò di non farmi trovare in casa quando verrai a prendere gli scatoloni.

Rileggendo questa mail mi sono accorto che ci sono ben sei «forse».

Adesso, sette.

Credo sia perché l'amore lavora sempre, sempre sulla trasformazione e sulla possibilità.

E perché i futuri migliori prendono spesso la rincorsa dai presenti senza speranza.

Il tuo ragazzo

21.

L'amore sulla carta

Accadde che nell'aula in cui, molti anni prima, tutto era iniziato, la vista di una frase scritta in stampatello da chissà chi, per qualcuno che chissà chi era, fece affiorare l'idea nella mia mente, come una fotografia che compare in camera oscura.

Era un'idea assurda, rischiosa, l'ultimo tentativo di un disperato che non riusciva ad arrendersi al disamore di sua moglie. Ma era l'unica soluzione.

Dovevo tornare su quel banco, ancora una volta. Farmi ancora parola, solo per lei.

Dovevo dare a Nadia l'occasione di tornare a vederci, a vedermi. Di ricominciare a immaginarci.

Non volevo piú essere il quadro completo e non soddisfacente che lei sapeva a memoria. Non volevo piú essere l'uomo con cui non riusciva ad avere un figlio. Mia moglie si meritava un amore nuovo, inesplorato, che le raccontasse una storia di cui non conosceva già il tristissimo finale. Una seconda prima volta, che la riaccendesse dentro.

Del resto, mi dicevo, cosa cerchiamo quando lasciamo, o quando tradiamo, se non un'opportunità di ricostruirci dalle fondamenta, la sensazione che nulla sia ancora andato storto, la possibilità di scrivere su un foglio nuovo?

E perché quest'opera di riscrittura non potrebbe avvenire dall'interno del cerchio del matrimonio, invece che chiamandoci fuori?

E se era stata proprio la scrittura a portarmi da Nadia, e a portare me da lei, il primo filtro attraverso il quale ci eravamo mostrati l'uno all'altra, sapevo che questo, nella sua visione delle cose, aveva sempre rappresentato una specie di segno.

Quel che ci aveva permesso di inventare ciò ch'eravamo stati, forse poteva farlo ancora. Poteva farlo quella lettera. Impiegai giorni per vincere l'inerzia della paura, e poi una domenica sera uscí tutt'in fila dalle mie dita, come fosse sempre stata lí. Gliela spedii da un account fasullo creato apposta, non mi firmai, la dedicai a un'altra donna. Non volevo che Nadia sospettasse che l'avevo scritta io, o che era rivolta a lei. Doveva apparire la lettera inviata da un uomo alla moglie che l'aveva lasciato, una mail recapitata per errore a un indirizzo digitato troppo in fretta. Era il resoconto di un uomo inesistente che rifiutava l'evidenza di una fine. Ma questa era anche la realtà, perché quell'uomo ero io.

L'idea era mettere Nadia di fronte alle estreme conseguenze di una condizione simile alla nostra, alla storia di un allontanamento conclamato. A una situazione specchio.

Volevo suscitare la possibilità di un effetto, magari una sua risposta, forse perfino della compassione, non so, perché qualunque cosa sarebbe stata meglio rispetto alla palude senza sogni in cui stavamo sprofondando. Speravo che il suo amore per le parole, l'opportunità di scriversi con qualcuno, la sua innata empatia, sarebbero state tentazioni alle quali difficilmente avrebbe saputo resistere. Una volta, molti anni prima, aveva ricevuto per sbaglio un sms che una donna aveva indirizzato a un uomo. Lei aveva risposto, e la donna aveva risposto, e Nadia le aveva risposto ancora, e poi la vita è strana e storta e germoglia come i fili d'erba fra le pietre ed è andata a finire che lei e la donna sono diventate buone amiche, nonostante i quasi vent'anni di differenza, fino al giorno in cui il cancro di Martina arrivò a dimostrare che lo erano piú di quanto non credessero.

All'improvviso avevo un piano. Dovevo fare in modo che Nadia tornasse a contemplare le nostre vite non piú come macerie, ma come possibilità. Perché qualcosa in me sentiva – o meglio: lo sperava – che l'amore non era scomparso del tutto, che forse era solo sepolto. Qualcuno doveva andare a riprenderlo e a tirarlo fuori, ripulirlo dai detriti, ossigenarlo, ma quel qualcuno non potevo essere io. Non sulla carta, almeno. Per cercare di capire mia moglie, per vedere di nuovo dove stavamo andando, perché lei tornasse a vedere me, dovevo dimenticare chi ero, togliermi di mezzo, lasciare spazio, scostarmi come si scosta una tenda per far entrare la luce da una finestra.

Non avrei mai potuto immaginare dove questo ci avrebbe portati.

22.

Nevicare in autunno

Quando mi svegliai, di lunedí mattina, nel nostro letto che mi sembrava diventare piú grande col passare degli anni, il cielo che intravedevo dalla finestra era ancora nero e stellato.

Mia moglie dormiva nella sua metà, con le lenzuola fin sopra la testa. Mi tirai in piedi, recuperai gli abiti al buio e me li infilai in soggiorno, pronto per andare al mercato del pesce, amavo farlo di buon'ora. Trovai abbandonati sul pavimento i vestiti di Nadia. Li raccolsi, li annusai, li piegai sul divano.

Mi imposi di non guardare la mail fino a che non fossi uscito di casa.

La controllai spesso dal telefono, nelle ore successive: in piazza Dante mentre mi scottavo la lingua con un caffè lungo, in osteria durante le preparazioni, nel bel mezzo del servizio in cucina e la sera tardi di ritorno dal lavoro, ma fu inutile.

Nessuna risposta.

I giorni seguenti scivolarono via come acqua nello scarico di un lavandino.

Passò l'intera settimana, iniziò la nuova, non succedeva niente. La sensazione di impotenza era tremenda.

Io continuavo a uscire presto, Nadia continuava a svegliarsi dopo di me, quando me n'ero già andato. Il martedí, giorno di chiusura dell'osteria, lo trascorrevo da sempre nell'orto del nostro giardino: levavo le erbacce, sbriciolavo gusci di uova per proteggere l'insalata dalle lumache, raddrizzavo i sostegni dei pomodori piegati dal vento, irrigavo o vangavo il terreno. Certe volte, mollavo tutto e andavo a correre. Nadia si sforzava di concentrare gli impegni redazionali al quotidiano in quel giorno, che passava fuori quasi per intero. La cosa non sfuggiva a nessuno dei due.

Da quando aveva smesso di aspettarmi alzata, ci eravamo progressivamente assestati su questa routine che ci vedeva vivere esistenze complementari, soprattutto negli ultimi anni. Lei prendeva sonno nel dopocena e risorgeva a notte fonda per scrivere, oppure per leggere, dopo che ero rincasato dal servizio serale e mi ero addormentato. Io mi alzavo all'alba, quando lei era tornata a dormire da poco e, salvo fugaci rientri pomeridiani, restavo fuori spesso fino a tardi. I nostri corpi condividevano i metri quadrati del letto forse per un'ora, a volte solo pochi minuti. In passato, prima che la situazione si esasperasse, ci era capitato di scherzarci su.

– Diventeremo come il Sole e la Luna in quella favola, che non s'incontrano mai.

– Tu chi vuoi essere, dei due?

– Dipende.

– Da che?

– Dalla maniera in cui la vedi. La Luna senza il Sole non potrebbe splendere, ha bisogno di lui per essere visibile. Mentre, nella vita del Sole, la Luna si manifesta in occasioni molto particolari.

– Che vuoi dire?

– Che il Sole si accorge della Luna solo durante le eclissi. Quando lo mette in ombra.

A pensarci oggi, forse non scherzavamo poi tanto.

C'erano notti in cui, girandoci nel letto, ci capitava di sfiorarci appena con una mano, o con un piede, e quei fugaci contatti erano tutto ciò a cui restavo aggrappato, quel che mi permetteva di poter ancora pensare a un «noi». Ma durava sempre troppo poco, e il mio stesso desiderio per Nadia mi appariva ormai come un'incerta nevicata autunnale, quando la neve insiste a posarsi su un terreno troppo caldo per impedirle di non sciogliersi subito.

Attesi una sua risposta per piú di dieci giorni, prima di prendere atto del mio clamoroso errore di valutazione. Chissà cosa mi ero messo in testa. Come avevo potuto pensare che mia moglie avrebbe dato credito a una patetica messinscena, rispondendo a uno sconosciuto che le parlava d'amore? E poi non era forse, anche questa, una dimostrazione di fedeltà? Una parte di me si chiedeva se non dovessi essere orgoglioso della sua indifferenza. Allo stesso tempo, ciò rendeva evidente che Nadia era ormai finita in un posto buio, irraggiungibile, che neppure la sua proverbiale curiosità riusciva piú a rischiarare.

Poi, di giovedí sera, mentre al lavoro stavo pulendo un lavarello, lo smartphone trillò nella tasca. Avevo collegato la mail del telefono all'account dal quale avevo scritto a Nadia, e il suono era quello inconfondibile della posta in arrivo.

Solo una persona al mondo aveva quell'indirizzo.

Presi il telefono con le mani sporche di sangue e interiora, guardai la mia faccia riflessa sullo schermo per quasi un minuto, infine mi decisi a entrare nella casella.

L'oggetto della mail diceva: «Chi sei?»

Gli angoli della bocca si sollevarono senza che potessi farci niente e per un attimo fui di nuovo là: diciottenne curvo sul banco, trentenne imbucato a una festa, due occhi verdi immaginati a lungo e poi finalmente incrociati che si posavano ancora su di me.

Prima di aprire la mail sbucai con la testa dall'oblò della cucina, chiesi una sigaretta a Carlo, non fumavo piú da sette anni.

Uscii sul retro, la accesi, nel buio del vicolo la luce del monitor m'illuminava il viso come una speranza. D'un tratto mi fu chiaro chi era il Sole, d'un colpo seppi chi ero io.

Aspirai la prima boccata, poi la seconda.

Cominciai a leggere.

23.
La risposta

Caro ragazzo,

penso che nemmeno io ti amerei.

Hai tenuto nascosto ad Agnese chi eri davvero, hai lasciato che si accontentasse di una scorza. Quel che tu ritenevi dovesse piacerle, l'uomo che secondo te voleva e che ti sei sforzato di essere, ha celato quel che amava. Si è sentita ingannata, tutto qui. Poi, senza dubbio, andarsene o restare sono scelte che hanno molte ragioni in comune. Esprimono punti di vista diversi, ma si può essere liberi restando o prigionieri allontanandosi. Vorrei anche dirti che l'ostinazione non è una dote, ma una condanna, e che non so se esistano momenti che definiscono il resto delle nostre vite, però di sicuro ci sono vite che definiscono ogni nostro momento.

La tua lettera è bella e sincera, nonostante i «forse» che cercano di camuffare il fatto che non si tratta di una lettera, ma di una confessione.

Sono certa che Agnese ti risponderà, ma comincerei inviando questa mail all'indirizzo giusto.

In bocca al lupo,

Nadia

24.
Le lacrime delle tartarughe

Nadia amava le sorprese, ma odiava che le si regalassero due cose: libri e vestiti.

I primi, perché aveva la bizzarra convinzione che non dovessero essere le persone a scegliere le storie, ma le storie a scegliere le persone – l'unica volta che le avevo chiesto: «E come farebbero a sceglierti?» mi aveva accarezzato la guancia e mi aveva detto: «Lo sai che in Amazzonia le farfalle sopravvivono bevendo le lacrime delle tartarughe?», che in fondo era il suo modo per spiegarmi che il mondo è molto piú ricco d'immaginazione di noi.

Con i secondi, invece, faceva fatica perché li interpretava come tentativi di cambiarla.

Mia madre, che si alzava un'ora in anticipo rispetto a mio padre per truccarsi e vestirsi, ogni giorno fino a quando non se n'era andato, in modo che lui potesse trovarla sempre in ordine, le regalò per anni maglioni alla moda, camicie di pizzo, gonne da boutique, perfino un cappottino a mezza gamba. Ma Nadia leggeva tra le righe. «Non sei abbastanza elegante, – diceva il sottotesto, – te ne vai in giro che sembri una sciamannata».

Nadia era un animale selvatico, era sempre stata cosí. Mal digeriva gli strumenti di cattività con i quali il mondo, secondo lei, cercava di ammansirla, e questa sua insofferenza si stava esacerbando con l'età.

Fu forse per questo che colse, nel protagonista della mia lettera, un modo di stare al mondo che le pareva sbagliato: quello di costringersi a essere diversi, omologandosi a mute richieste, pur di farsi amare.

La sua sembrava la risposta di chi si sente punto sul vivo. Parole alle quali aveva pensato per giorni, o mi piaceva credere che cosí fosse.

Vi ho già detto che mia moglie era una donna molto bella. Quando l'avevo conosciuta, era una di quelle bellezze da voltarsi indietro. Il suo aspetto, però, le era sempre sembrato un impaccio. Voleva che le persone vedessero lei, non la femmina da conquistare o invidiare, non la trappola della superficie. Non accettava la pressione di dover esibire una qualità per la quale sentiva di non avere merito. Perciò vestiva d'abitudine con maglioni ampi da uomo, camicette accollate acquistate ai mercatini, preferiva le salopette o le gonne lunghe ai pantaloni. Indossava ballerine o scarpe da tennis, spesso accompagnate a calzettoni rosso fuoco che spiccavano contro il biancore della sua pelle e nascondevano depilazioni sempre piú occasionali. Si avvolgeva in scialli e foulard per i quali «vintage» sarebbe stato un aggettivo generoso. L'abito giallo e corto del nostro matrimonio era stato, che io ricordi, la sola concessione fatta a un'innocente frivolezza. Una volta perfino Martina, l'unica a cui lo avrebbe permesso, guardandola le aveva detto: «Sembri una suora laica».

Per me non era mai stato un problema, perché io la *vedevo* lo stesso, meglio di chiunque altro, e vivevo questa possibilità come un vero privilegio. Ma due anni fa all'incirca, quando il cancro di Martina arrivò al suo apice, la situazione precipitò senza preavviso.

Martina, dopo tre cicli aggressivi di chemio, era diventata completamente calva. Nadia si tagliò allora i capelli cortissimi, per solidarietà con lei. Facendolo, scoprí sulla testa alcune chiazze bianche e rosa che la sua lunga chioma, fino a quel momento, aveva nascosto.

Si chiama tricotillomania. Nadia si strappava i capelli per lo stress o per l'eccesso di concentrazione, spesso senza rendersene conto, magari mentre ci giocherellava scrivendo. Io ne ero al corrente, cosí come ero a conoscenza del suo uso occasionale di ansiolitici, ma non avrei mai sospettato che il danno fosse cosí esteso. Con il nuovo taglio estremo, con i capelli non piú lunghi di un paio di millimetri – aveva usato il mio regolabarba, impostandolo sulla misura minima –, il problema risultava evidente al punto che, a un'occhiata frettolosa, la malata poteva apparire Nadia.

La cosa impattò su di me con violenza.

Amavo mia moglie, la sua ostentata insubordinazione alle regole, ciò che aveva contribuito a farmi innamorare di lei, la sua capacità di essere solidale con gli amici fino all'estremo. Ma mi accorsi, in quell'occasione, che qualcosa dentro di me si opponeva con forza all'idea di vederla cadere a pezzi. Mi ero sposato con una donna bellissima, che tutti mi avevano fatto considerare una specie di immeritato regalo e ora, dopo tanti anni insieme, le parti si stavano ribaltando. Come se lei, giorno dopo giorno, avesse fatto di tutto per danneggiarsi e mostrare le sue piaghe, mentre il tempo, con me, nonostante i chili di troppo, si era mostrato piú clemente, quasi fossimo invecchiati a due velocità diverse.

Per la prima volta mi resi conto che la difficoltà che sentivo non dipendeva dalla sua indifferenza allo sguardo altrui.

Mi feriva il disinteresse al mio.

Mi feriva il suo prendere le decisioni sempre da sola, che si trattasse di un taglio radicale di capelli o della nuova disposizione della libreria nel salotto. Mi seccava

che la mia opinione negli anni fosse diventata irrilevan-
te, e che lei non sentisse piú il minimo desiderio di provare a piacermi.

Nadia non era una donna facile da amare, perché era
decisamente poco convenzionale. Io non ero un uomo facile da amare, perché lo ero troppo. Il poco e il troppo insieme avevano dato vita a un *abbastanza*, a un amore sufficiente per sopravvivere nel mondo. Non avremmo mai
creduto che il problema, un giorno, sarebbe stato quello
di riuscire a farlo sopravvivere a sé stesso.

Fra le nostre due polarità, ora, c'era di nuovo un punto di contatto, sia pur minimo, evanescente, fatto solo di
caratteri in Arial che brillavano su uno schermo da cinque
pollici, e che nella mia testa ossessionata si condensarono
presto in una possibilità.

Per questo la mia risposta alla sua risposta andava pon-
derata con grande prudenza.

Dovetti resistere al desiderio di scriverle subito, d'istinto. Si crede che assecondare un impulso possa testimoniare
la nostra sincerità, io non facevo eccezione. Ma qui non si
trattava di sincerità, si trattava di riportare mia moglie alla
vita e come conseguenza – anzi, come speranza – riportar-
la da me. La partita che stavo giocando non apparteneva
al regno della comunicazione, ma a quello della seduzione. E il regno della seduzione è l'apparenza, un rimando
a qualcosa che forse non c'è davvero, ma perché possa esserci c'è bisogno che l'altra persona si affidi. Che si lasci
condurre nel luogo dove vorrai portarla.

Al contempo, dietro la maschera c'ero io. Dentro la nuova pelle fatta di parole, che cominciava a calzarmi quasi
fosse sempre stata la mia, mi sentivo impaziente, vitale e
affamato.

Passai l'intero pomeriggio e la sera del sabato a scrivere
e riscrivere, neanche stessi buttando giú il secondo atto di
una commedia, con la consapevolezza di un arciere che al-
linea occhio mano cuore nel momento di prendere la mira,
prima di scoccare, mentre accarezza la tensione della corda.
Una volta liberata la freccia, potrai solo pregare.

25.
Mirare in alto

Cara Nadia,

non hai idea di quanto io mi senta stupido. Ho esposto la mia intimità a una sconosciuta, ho atteso per dieci interminabili giorni una risposta che non arrivava, per il semplice fatto – lo scopro ora – che l'avevo spedita a un indirizzo sbagliato. Agnese e io non ci siamo mai inviati mail in sette anni di convivenza, nemmeno una, a pensarci sembra surreale. Sempre e solo telefonate e sms o vocali su WhatsApp. E quando la scorsa settimana ho digitato il suo indirizzo ho saltato il 2 finale, me ne accorgo soltanto adesso. La tensione mi ha giocato un brutto tiro. Un errore da niente, un esito catastrofico.

Ti chiedo scusa.

Ti ringrazio, comunque, per la tua risposta nient'affatto dovuta, e anche per un paio di suggestioni che mi hanno dato da riflettere. Non ho mai creduto che tentare di migliorarsi per qualcuno che si ama, usare tutte le nostre forze per cercare di piacergli, significasse celarsi ai suoi occhi. Tu pensi sia cosí? Non lo so. C'è quel vecchio detto sulle donne che pretendono di cambiarti. Io invece sono cambiato per libera scelta, ma al punto che oggi non capisco se Agnese non ami il mio cambiamento, o se non lo abbia ritenuto sufficiente. Comunque sia, è una sconfitta.

Molti anni fa, ho letto una frase che diceva che le persone non falliscono perché mirano troppo in alto e sbagliano, ma perché mirano troppo in basso e fanno centro.

Per quanto mi riguarda, il risultato resta uguale: Agnese era la donna giusta, io sono stato l'uomo sbagliato, non c'è perdono per questo.

Grazie, sul serio.

Antonio

26.

L'attesa

L'attesa della sua seconda risposta fu piú penosa della prima. E non avevo idea se ci sarebbe mai stata.

Avevo l'impressione di avere scritto poco, avevo l'impressione di avere scritto troppo, mi sembrava di avere inviato una replica inutile o poco incisiva, a differenza della lettera iniziale, e dovetti resistere alla tentazione di mandarne un'altra dopo poche ore. Mi sentivo come un amante che deve scagionarsi da un sospetto di adulterio al quale le frasi giuste da dire – il perfetto equilibrio fra la tonalità della tenerezza e quella dell'arringa – vengono in mente troppo tardi.

A casa osservavo Nadia per carpire segnali.

La sbirciavo mentre attraversava il corridoio, quando andava in cucina, se la trovavo sul divano la sera, col portatile acceso, se si alzava di notte per fare pipí. La speranza era di percepire una luminescenza nel buio, quella dello schermo del suo telefono, la luce bianca della sua casella mail, oppure il ticchettio dei tasti nel comporre un messaggio, ciò che nella mia testa poteva significare che, forse.

Fuori casa, avevo il cellulare sempre a portata di mano. In osteria, affettavo verdure appoggiandolo di fianco al tagliere, lo tenevo in tasca con la vibrazione al massimo, arrivai ad appenderlo, con una catenina, al manico di una padella in rame stipata sullo scaffale, ad altezza occhi, di modo che ogni volta che alzavo lo sguardo lo vedevo lí.

L'ansia giunse al culmine il martedí della settimana seguente, quando Nadia, al contrario del solito, non uscí per andare in redazione ma indugiò in camera a lungo.

– Oggi non esci? – chiesi, vedendola trafficare col telefono, seduta sul letto.

– Piú tardi, – disse. – Tu in giardino hai già finito? – aggiunse con aria lievemente seccata.

– Ah, be', non c'era molto da fare, a parte annaffiare. Col fatto che ha smesso di piovere le lumache sono scomparse, l'insalata è salva e i pomodori vengono su una meraviglia.

– Bene, – disse continuando a fissare il cellulare.

Nadia credeva che la mia passione per il nostro piccolo orto fosse un passatempo, o una comprensibile deriva professionale, cui guardava con accondiscendenza. In effetti, usavo spesso erbe coltivate da me per elaborare i piatti, anche in osteria. Ma mia moglie non sapeva che piantare ortaggi era per me una forma di resistenza. Gli ortaggi mettono radici, e curando le loro pensavo di curare le mie. Affondare le mani nella terra era una mia personale lotta contro la sparizione delle cose che amavo. Una maniera per farle restare.

Il telefono di Nadia si illuminò, assieme al suo sguardo, e lei si alzò di scatto.

– Adesso devo scappare, – disse.

– Ma non avevi detto…?

– Mi vedo con Martina, oggi rientra in ospedale e prima vogliamo parlare un po', – disse chiudendo frettolosa. Sparí in corridoio, prese le chiavi dell'auto dalla mensola e infilò le scale di corsa.

Non so di preciso che cosa mi insospettí.

Credo, il fatto che non l'avevo mai vista correre per un appuntamento, nemmeno con Martina. Oppure la sua espressione quando aveva letto il messaggio sul cellulare,

gli occhi di chi riceve un segreto o una notizia che attendeva con impazienza.

Nella mia testa si conficcò un presentimento.

Forse Nadia mi tradiva. In fondo, con quale naturalez-
za aveva risposto alla lettera inviatale da uno sconosciuto?
Con la stessa facilità, avrebbe potuto incontrare un altro,
accoglierlo nella sua vita. Forse vedeva qualcuno da anni,
ed era il vero motivo per cui tra noi andava come andava.
Era questa la spiegazione piú ovvia per molti dei suoi comportamenti, che io mi ero ostinato ad attribuire ad altre ragioni, solo per amore. O per paura. D'un tratto pensai: e se
anche fosse? Per un attimo, mi ritrovai quasi a desiderar-
lo. Sarebbe stato piú semplice combattere contro un rivale
che affrontare un amore che stava morendo di consunzione.

Sarei dovuto passare dal lavoro per verificare i ricarichi,
piú tardi. Scelsi di uscire subito. Inforcai la Vespa, infilai il casco e, prima di passare in osteria, decisi di seguire
mia moglie. Non parlo di pedinarla, non ne sarei mai stato
capace. Senza contare che una Vespa rossa, guidata da un
uomo di quasi un quintale, nello specchietto retrovisore
sarebbe saltata facilmente all'occhio. Ma conoscevo il bar
accanto all'ospedale, in cui si trovava di solito con Martina, sarebbe stato semplice controllare. Non potevo comunque avere la certezza che si sarebbero viste lí, ma valeva
la pena provare. Avevo un disperato bisogno di un segno,
un indizio anche minimo, per non impazzire del tutto.

Le vidi ai tavolini esterni del *Paradise Cafè*, e il calore
della consolazione fu raffreddato da gelide ondate di vergogna. Martina aveva recuperato i capelli, sorrideva in
maniera amabile, a parte la magrezza non si sarebbe mai
detto che fosse una paziente oncologica grave. Nadia le
stava seduta davanti e parlava facendo ampi cerchi con le
mani. Io ero lí, nascosto dietro una macchina, nel parcheg-

gio di fronte. Mi chiesi se Nadia le avrebbe parlato della
lettera, lo sperai con tutte le mie forze. Avrebbe estratto
lo smartphone dalla tasca, lo avrebbe passato a Martina, le
avrebbe detto: «Leggi». Martina le avrebbe chiesto: «Ma
dài? E come ti fa sentire? Gli risponderai? Gli hai già risposto?» Nadia avrebbe accennato un sorriso imbarazza-
to, oppure avrebbe liquidato la cosa come una sciocchezza
priva di importanza.
   Non successe nulla di tutto questo.
   Scostarono le sedie dal tavolino e si tirarono in piedi e mi accorsi che Martina camminava appoggiandosi a
un bastone. Nadia la prese sottobraccio dall'altro lato,
la guardò, le accarezzò la testa, infine afferrò un borso-
ne di stoffa e si avviarono verso l'ingresso dell'ospedale. Guardandole entrare, mi sentii d'un tratto infantile e
ridicolo, un uomo ossessionato che voleva solo verificare
gli esiti di un imbroglio, mentre in quel momento la vita gli
scorreva davanti agli occhi con la sua verità.
   Le guardavo allontanarsi da me, l'una appoggiata all'altra, una radice avvizzita e storta avvinghiata a una piú
salda, cosí belle che parevano un quadro di un pittore ro-
mantico, e mi ferí pensare che c'erano piú affetto e sincerità in quell'immagine di tutto ciò che era rimasto nel
mio matrimonio.
   L'amore che cercavo di ravvivare non era scomparso
dalla vita di mia moglie, era semplicemente confluito altrove, in un posto al quale io non avevo accesso.
   Forse Nadia non sentiva alcuna nostalgia di ciò che cercavo di restituirle.
   Forse quel bisogno era solo mio.

27.
Panico

«Va bene, non c'è piú niente da fare».

Lo sconforto del fallimento si mescolava al sollievo della consapevolezza in proporzioni che cambiavano di ora in ora, di minuto in minuto. Il lavoro mi impedí di cedere del tutto alla delusione, teneva la mente sgombra.

Quel sabato all'osteria facemmo chiusura tra birrini, ultime sigarette e brutte canzoni, per festeggiare il compleanno di Carlo. Ne bevvi un paio di troppo per lenire la sensazione di vuoto. Non funzionò. Domenica mattina mi svegliai lo stesso presto e andai a correre, sentendomi piú solo che mai.

Nadia mi aveva sempre preso in giro per questa mia attitudine, perché diceva che fra i tre interessi che di solito colpiscono gli uomini a partire dai quarant'anni – «conoscere e capire il vino, andare in giro a fotografare cose, e correre da qualche parte» – io avevo scelto il peggiore. «Con quelle gambette da stambecco, poi».

A mia discolpa, va detto che di vino ne capivo già abbastanza, che alla fotografia avevo sempre preferito il disegno, e che la corsa era un'attività che avevo iniziato prima di conoscere mia moglie. Mi era stata utile quando vivevo piegato su un tavolo da disegno, continuò a esserlo quando cominciai a passare le mie giornate nello spazio chiuso di una cucina.

Adesso però correvo di piú, mi muovevo piú spesso, la decisione di scrivere a Nadia aveva sbloccato qualcosa anche nelle mie abitudini muscolari. Ma erano anni che non andavo a correre dopo una sbronza, costringendo il mio organismo a espellere le tossine con le quali lo avevo consapevolmente avvelenato.

Avevo cominciato durante gli anni di studio a Venezia, città in cui la corsa può somigliare a un percorso a ostacoli: i dannati turisti, i maledetti ponti con i loro gradini, che tagliano le gambe e aumentano l'acido lattico, spezzano il fiato.

Correre a Verona è diverso. Ci sono le auto che appesantiscono l'aria, le strade asfaltate e l'inerte malinconia delle salite. Ma avevo da poco riscoperto un tratto abbastanza lungo che raggiungevo in Vespa, e che poi facevo correndo tutte le volte che mi riusciva, circa una decina di chilometri tra andare e tornare che si snodano in riva all'Adige, accanto al pelo dell'acqua. Lí, potevo avanzare protetto, il suolo era piú dissestato e incerto ma c'erano meno interruzioni.

Quella domenica mi sforzavo di tenere un ritmo regolare, rigoroso, una disciplina che faceva a pugni con i pensieri che mi rimbalzavano in testa impazziti. Avevo davvero creduto che sarebbe stato cosí facile? Riaccendere mia moglie, riconquistarla con un piano da ragazzino del liceo? Perché diavolo non ero riuscito a farmi venire un'idea migliore? Assieme alle domande sentivo crescere la paura.

Correre mi era sempre servito per contenerla. Fin da quando ero piccolo, la paura di essere deriso per il mio braccio, oppure ignorato, punito, chiuso dentro, chiuso fuori, è stata una compagna odiata ma fedele. Una delle paure piú grandi con cui ho fatto i conti crescendo è stata la paura della rabbia. Poi la paura di ciò che sarei potuto diventare e che forse sono, mio malgrado, diventato.

Ma, adesso, c'era qualcosa di diverso, cui non riuscivo
ancora a dare un nome.

Cercavo di resistergli, passo dopo passo, perdendomi
nell'esuberanza del canneto che invadeva a tratti il percorso, nei voli dei cigni e delle anatre d'acqua, il mondo
che mi esplodeva intorno mentre io trattenevo dentro il
mio. Superato il ponte della diga presi a correre piú forte,
aumentare la cadenza era l'unica cosa che mi restituisse
la sensazione di essere padrone, almeno, del mio destino
motorio. O forse volevo solo occultare l'ansia e la frustrazione con la fatica, non so. Ma la vita sembrava deri-
dermi, facendomi incrociare chi invece passeggiava senza
fretta, chi portava a spasso il cane, qualche pensionato
pescatore che mi salutava come fossimo complici di un
segreto indicibile: quello delle mattine solitarie e libere.

La primavera era agli sgoccioli, gli alberi erano un trion-
fo di foglie che si agitavano mosse dal vento, le nubi si
facevano sempre piú spesse in quell'azzurro tagliente, io
avevo smesso di aspettare la risposta che mi avrebbe cambiato la vita e procedevo con ostinazione, e un vago senso di smarrimento che attribuivo alla spossatezza alcolica.
Avrei dovuto bere di meno, finirla di considerare le bic-
chierate con gli amici un rimedio, e soprattutto piantarla
di rischiare l'infarto percorrendo tragitti sempre piú lunghi, fuori tempo massimo. Mi vidi all'improvviso come il
piú patetico degli stereotipi.

Fu perso in questi pensieri che, nemmeno a un terzo
del percorso, sentii i muscoli delle gambe indurirsi troppo in fretta. Iniziai a sudare freddo, ad avere sete. Una
fitta di inquietudine mi attraversò la mente. E d'un tratto, ecco il dolore: la coscia destra si contrasse con uno
spasmo inatteso e violento che mi fece quasi cadere. La
sinistra si bloccò dopo pochi secondi, diventando di le-

gno. Rallentai d'un colpo, costretto dai crampi a camminare adagio, quasi trascinandomi. Alle mie spalle sentivo il vento che si alzava. La perdita di controllo del mio corpo, i muscoli che non ubbidivano piú ai comandi, il cielo cosí bianco, mi provocavano un'angoscia tangibile. Un freddo intenso, un'apprensione senza oggetto mi schiacciarono i polmoni. La frequenza del mio respiro accelerò tanto che non riuscivo a capire quando l'aria entrava e quando usciva.

Pensai a Nadia che dormiva ancora nel nostro letto. Pensai che al mio ritorno mi avrebbe guardato con la sua aria da censura silenziosa, come faceva spesso se rientravo rosso e sudato, mentre lei era calda e al sicuro fra le lenzuola. Mi aggrappai a quell'immagine quasi fosse un lontano ricordo.

E fu lí che compresi.

La zavorra di quella paura nuova si rivelò uno spavento antico, che in un attimo riconobbi.

Il terrore di essere dimenticato, lasciato lí. Il castigo di un futuro ignoto che non dipendeva piú in alcun modo da me.

Mi accasciai sotto il ponte, ansimando come un vecchio, la schiena piegata in avanti. Mi guardai attorno alla ricerca di una fontana, un bar, qualsiasi elemento che potesse rappresentare un appiglio per la vista o un conforto temporaneo, ma non riuscivo a vedere niente.

La notai all'ultimo.

Non la misi a fuoco subito perché ero troppo vicino, giusto sotto, quasi *dentro*. All'inizio, lessi solo il punto di domanda e la *i* finale. Mi si svelò enorme, sembrava dipinta col sangue e sarei stato pronto a giurare che l'ultima volta non ci fosse. Appariva fresca, appena eseguita, probabilmente un *writer* durante le nottate precedenti.

La grande scritta di vernice rossa, gocciolante, incombeva su di me e diceva:

CHI SEI?

Fu in quel momento che udii il *tlin* della posta in arrivo. C'era una nuova mail di Nadia.

28.
Fuochi d'artificio

Caro Antonio,
non esistono la donna giusta o l'uomo giusto. Ed è un bene, dato che è molto piú divertente mettersi a cercare le cose giuste nell'uomo o nella donna sbagliati. Perché questo accada, bisogna provare a essere sbagliati in maniera onesta, scommettere perfino sui nostri difetti, invece che indossare travestimenti cuciti con aspettative irrealistiche, nostre o altrui non fa differenza. Capita perfino che ci innamoriamo di persone che non sopportiamo, persone che costituiscono per noi un rischio inaudito. L'amore funziona cosí. Non ci si innamora degli uguali, di chi ci somiglia. Al netto dei luoghi comuni, le regole dell'attrazione tifano per la diversità. La cosa da sapere, però, è che le donne condividono una caratteristica, quasi una singolarità genetica: ci innamoriamo di quel che vediamo, anche se poi ci capita di investire sulle potenzialità che i nostri occhi intuiscono. È un'altra maniera per dire che di voi amiamo proprio il vostro essere semplici, lineari ai limiti del prevedibile, a partire dalla vostra testa per finire col vostro uccello, adoriamo il fatto che la vostra eccitazione sia evidente, conclamata, perfino i vostri orgasmi non sono che fuochi d'artificio, una celebrazione esteriore, ciò che vi rende difficilissimo nascondervi. Ciò che vi rende in principio teneri, poi pa-

tetici, quando provate a farlo. Forse per questo le donne odiano i tradimenti in maniera diversa dagli uomini. Gli uomini sanguinano nell'orgoglio, le donne tradite odiano il non averlo saputo prevedere, e riversano il proprio disappunto principalmente su sé stesse. Ecco perché una donna delusa può continuare ad amare ancora a lungo, per quanto lo voglia negare: perché è meglio alimentare una speranza che accettare di essersi sbagliata. Spero sia il tuo caso, se è quel che vuoi. O forse no. Forse, dopotutto, ti auguro di liberarti dal fantasma di un amore che ha comunque fatto la sua scelta, e la sua scelta è stata quella di continuare senza di te.

Un abbraccio,

Nadia

Lessi le sue parole addosso all'argine, con l'adrenalina del panico ancora in corpo. Arrivarono come una salvezza calata in un precipizio buio.

Ma c'era dell'altro. C'era in questa risposta un muro che era stato abbattuto, e mi meravigliavo quasi che fosse accaduto così presto. Mia moglie parlava di uccelli e di eccitazioni con uno sconosciuto, lo salutava con un abbraccio, sembrava aprirsi a un inizio di confidenza, anche se con un estraneo. Avrebbe dovuto darmi fastidio ma io ero troppo assetato, rimpiangevo questa sensazione da troppo tempo, la desideravo con ogni cellula del mio corpo.

Non volevo aspettare un altro secondo, non volevo aspettare più.

Cominciai a digitare sui tastini del telefono senza nemmeno darmi il tempo di pensare.

29.
Andare a funghi

Cara Nadia,
che belle le tue risposte.
Nonostante la loro ferocia, mi sono di conforto. Mi prendo del «semplice» senza alcun problema da chi scrive con la tua lucidità, anche perché è possibile che tu abbia ragione (ma non ho voglia di pensarci ora). La cosa che so è che sono passati ormai diversi giorni da quando ho inviato la mia mail all'indirizzo corretto, e Agnese non si è fatta viva.

Sopravvivo in una casa vuota, senza di lei, senza di noi, e gli scatoloni davanti alla porta cominciano a sembrarmi delle urne. Contengono tutta questa vita insieme diventata polvere, tante scelte passate in cui abbiamo creduto e di cui ora non resta piú niente. Mi sconvolge la facilità con cui una donna e un uomo possono perdersi, resettandosi dalle rispettive esistenze.

Come si sarebbe potuto evitare? Avrei potuto fare di piú? I tormenti del rimpianto si somigliano sempre.

Tu dici che non esiste la donna giusta, ma io penso che forse possano esserci amori giusti. E il mio se n'è andato senza preavviso e mi ha lasciato qui, solo con la mia paura di invecchiare e morire. A neanche quarant'anni. Stare da soli quando sei abituato all'amore è un impegno arduo. Mi sento cosí confuso e incerto che mi sembra di essere tornato alle mie paure di bambino, smarrito come quella volta che mio padre mi portò a funghi di notte, anche se era vietato. Quando alla pineta mi disse che scendeva nel dirupo per le finferle ma sarebbe tornato subito. Aspettami qui, disse. Invece non tornò. Rimasi il resto del tempo al buio, in attesa dell'alba, immaginando si fosse fatto male. Avevo otto anni. La cosa strana è che, nel mezzo del terrore, i piccoli rumori sugli alberi, i fruscii nei cespugli, le grida delle civette, anziché spaventarmi mi rassicuravano. Mi facevano sentire parte di qualcosa. Protetto. Vivo. La prima regola nel bosco è: se ti perdi stai fermo, almeno finché le condizioni non consentiranno di muoversi con maggiore sicurezza. Ma io quella volta, dopo un po', iniziai a spostarmi senza attendere la luce. Quando mio padre mi trovò erano le dieci di mattina. Avevo seguito il sentiero per conto mio ed ero quasi arrivato alla macchina. Mio padre non si scusò per la sua imprudenza, né si arrabbiò per il fatto che mi ero incamminato da solo. Mi abbracciò e basta. È lí che ho cominciato a adorare i boschi, credo. È stato l'inizio della mia autonomia e l'unico abbraccio di mio padre che io ricordi.

Chissà perché ti ho raccontato questa storia. Forse per illudermi che stare qui a scriverti sia un modo per ritrovare la strada. L'inizio di uno spostamento, in attesa della luce.

Grazie,

Antonio

Mi tirai su, ripresi a camminare prima piano, poi a passo piú svelto, quando riuscii a raggiungere la Vespa iniziò a piovere.

La risposta di Nadia arrivò che mi stavo infilando il casco.

La lessi ovattato, sospeso, piegato sul telefono per ripararlo dall'acqua, le gocce che mi picchiettavano in testa oblique e diligenti mi mettevano addosso un'eccitazione infantile.

Ero Gene Kelly che danza scalciando le pozzanghere, ero Carlito Brigante sotto un temporale mentre spia la donna che ama dalla strada, il profumo dell'asfalto bagnato era una carezza che si levava alta verso il cielo.

30.

Come pensare di uccidere un pesce affogandolo

Caro Antonio,

si cambia a prescindere da noi e dalle nostre decisioni.

Io e mio marito Milo, da quando ci siamo conosciuti, siamo cambiati almeno tre volte. La scienza ci dice che le cellule di un essere umano vengono interamente sostituite ogni sette anni, quindi posso affermare, senza ombra di dubbio, che non siamo piú le persone che si sono incontrate molti anni fa. Nemmeno tu e Agnese lo siete. È possibile che assumiamo addirittura altri odori, altri sapori. Forse la chimica del corpo lo sa, lo sente, forse è questa la ragione per cui la passione si assopisce, e spesso ci si perde: perché non riconosciamo piú casa nostra. Siamo cani smarriti e increduli che non riescono piú a trovare la via del ritorno, perché la traccia olfattiva è scomparsa.

Scrivi che Agnese non ti ha dato preavviso, ma mentre lo scrivi sai che non è vero. Le donne lanciano cortine di segnali prima di allontanarsi, anche se questo non significa sempre che poi se ne andranno davvero. Magari resteranno a odiare in silenzio, rassegnandosi a una vita che non volevano, fino a quando non arriverà il momento. Visto che ami i vecchi detti te ne riporto uno: «Non temere mai una donna che si arrabbia, temi quella che sta zitta».

È nella quiete che si annida il vero pericolo, Antonio. Nella tana del serpente nascosta tra le pietre, nell'energia elastica che si accumula sottoterra, prima di scatenarsi in sisma, nel virus che supera silente le nostre difese, nel tumore che cresce senza sintomi evidenti, fino a quando. Il pericolo è anche in quel placido bosco che ti faceva sentire protetto, ma che avrebbe potuto inghiottirti per sempre.

Io adoro il mare, d'estate vado sempre in Puglia, a Otranto. Mia madre è morta, ma mia nonna abita ancora lí. Non ho una storia bella come la tua da raccontare, amo il mare e basta. In molti sono legati alle acque della propria terra, soprattutto giú: quello della Sicilia, della Calabria, del Gargano. A me invece piacciono tutti i mari indistintamente. Amo l'idea stessa di mare, direi. L'idea stessa di pericolo, in fondo. La convinzione che ciò che amiamo possa prima portarci e poi toglierci cose, con la stessa indifferenza delle onde quando diventano risacca.

Quand'ero piccola nonna mi diceva: «Non puoi uccidere un pesce affogandolo».

Ho sempre pensato intendesse che non si tratta di evitare ciò che ti spaventa, ma di farlo diventare il tuo elemento, abitarlo in profondità, imparare a tremare, solo in questo modo l'inquietudine può diventare la tua acqua.

Solo cosí potrà tenerti in vita.

Ti abbraccio,

Nadia

31.
Kintsugi

– Tu sei rotto, – mi disse Nadia una volta, – per questo sei cosí bello.

Fu in un giorno d'inizio novembre, poco dopo il nostro primo incontro. Lei indossava un grazioso cappello stile Sarah Key che la faceva sembrare una bambina troppo cresciuta. Passeggiavamo stretti per via Sottoriva, gustandoci l'aroma di castagne e torbolino che s'insinuava nei portici, insieme a un vocio tenuto sotto pressione che traboccava dagli interni delle osterie, quasi rabbioso. Lei si girò verso di me all'improvviso e mi fissò con quei suoi occhi luccicanti, che cambiavano colore a seconda del tempo, come si fosse ricordata di qualcosa, poi mi disse la frase.

Quando camminavamo, le piaceva aggrapparsi al mio braccio sinistro. Con la mano destra percorreva la lunga cicatrice che testimoniava ancora il trauma della mia caduta, dopo piú di vent'anni. Fu Nadia a spiegarmi il *kintsugi*, la tecnica giapponese che ricompone gli oggetti di ceramica rotti, evidenziando le crepe con una vernice dorata. Simboleggia l'arte di abbracciare il danno, di non vergognarsi delle ferite, l'unicità del dolore che rende preziosa ogni vita. Ma è un fatto che chi ha perso un pezzo di sé, si tratti di un braccio o di un padre, passerà il resto della vita a cercare di tenersi insieme.

Nadia si arrovellava spesso su questo, su come fare ad abbattere tutti i muri che, lei diceva, ero rapidissimo a innalzare e che la tenevano lontana da me. Io, al contrario, ero dell'idea che i muri non andassero necessariamente abbattuti. Si possono superare aggirandoli, o trovando un'apertura. Senza contare il fatto che ogni muro è eretto a difesa di qualcosa, e forse, prima di entrare in un giardino segreto, può essere bello anche soffermarsi ad accarezzarne le pietre del recinto.

Nadia piú che recinti li vedeva come argini messi lí a contenimento, non a protezione, per questo la incuriosivano. La sua aspirazione era quella di far uscire, tirar fuori, e non di intrufolarsi.

Quel giorno, dopo essere sbucati in riva all'Adige, cominciammo a fare il giochino degli animali.

– Tu come mi vedi? Che animale sono per te? – mi chiese.

Ci pensai su, per un po'.

– Un lupo. Anzi, una lupa, – e attesi il mio turno aspettandomi una risposta altrettanto elegante.

Lei invece si voltò verso di me e mi guardò seria, gli occhi stretti a fessura le davano un'aria involontariamente comica.

– Tu sei sicuramente un castoro, – disse.

– Un castoro? – chiesi in un attacco di malcelato orgoglio.

– Come sarebbe, un castoro? Cazzo, dài. Un castoro no –. Mentre lo dicevo mi accorsi che mi stavo toccando gli incisivi.

– Sí, un castoro, – mi confermò. – Sei sempre lí a far su dighe, a nasconderti dietro i tronchi. Sei bravissimo, in questo. Instancabile.

– Un castoro –. Lo ripetei a voce alta, cercando di farmelo piacere.

Nadia mi proponeva spesso giochi simili, era una maniera per farsi fare delle domande.

«Non mi chiedi mai niente, – mi diceva sempre. – Non ti interessa conoscere delle cose di me? Sapere i miei gusti, per esempio?»

Non ne sentivo la necessità perché Nadia per me era un libro aperto. Ma mi divertivo a punzecchiarla e rispondevo con piccole provocazioni tipo: «No, non in modo particolare. Perché dovrebbe avere importanza?» facendo il cinico apposta. A quel punto mi godevo la sua rabbia che saliva, fino a esplodere, e allora la canzonavo come un bimbo crudele con una bambina capricciosa.

Mi sforzavo, però. C'erano momenti in cui pensavo a cose di cui non m'importava nulla, e le chiedevo di argomentare solo per esaudire la sua muta richiesta. Era sconvolgente vedere quanto poco le bastasse, in questo senso. Come fosse in grado di portare avanti una conversazione basata in apparenza sul niente. Nadia aveva bisogno di verbalizzare tutto, mentre io pensavo che le parole dette potessero esporre il fianco al fraintendimento.

Spesso mi tendeva degli agguati. Le piaceva troppo mettermi in imbarazzo. Mi saltava al collo e mi sussurrava: «Fammi una domanda, adesso. Una domanda alla quale possa rispondere in non meno di tre frasi».

E io mi inventavo domande semplici, che nella mia testa avrebbero dovuto prevedere risposte altrettanto brevi. Lei mi sorrideva e si divertiva da morire e partiva da interminabili premesse, per arrivare al dunque soltanto quando minacciavo di abbandonare la stanza.

L'unico interrogativo che la metteva in difficoltà era se le chiedevo: «Mi ami?» a bruciapelo, come fossi una donnicciola insicura. Lí, ero io a gustarmi il suo imbarazzo.

Non riuscí mai a dirmelo, nemmeno una volta. Si limitava sempre a rispondermi: «Lo sai».

Aveva ragione, lo sapevo.

E adesso sapevo che quel che scriveva era vero: non eravamo piú le stesse persone.

C'era una frase che Nadia amava citare, tratta da uno dei primi film visti insieme, *Incontri ravvicinati del terzo tipo*. È la scena in cui Roy Neary, subito dopo avere visto gli Ufo, dice alla moglie: se non posso raccontartelo, come faccio a capire cos'è successo? Ora, leggendo le mail di Nadia, grazie alle sue risposte, riuscivo a inquadrare le cose con maggiore chiarezza. A capire meglio cos'era successo, quando l'astronave era atterrata nelle nostre vite.

Era stato quando avevo smesso di sapere il suo amore, anzi di sentirlo, quando immaginare nuove domande mi era sembrato d'un tratto un gioco inutile, che avevo abbandonato la vocazione del castoro diventando il cane smarrito che diceva lei.

O forse, dopotutto, le lettere che le scrivevo non erano altro che una diga di carta e parole, che cercava di celare un'elementare verità: le mie cicatrici non erano piú riempite d'oro, se mai lo erano state. E senza la sua mano ad accarezzarle avevano ripreso a sanguinare.

32.
La torre di Rapunzel

Il martedí seguente, Marco si invitò a cena da noi.
«Sto arrivando lí, controlla se hai ghiaccio in freezer, –
diceva il messaggio vocale. – E i salatini quelli là a forma
di cazzetto, so che ce li hai».
Con Nadia uscivamo pochissimo, era cosí da anni, preferivamo stare a casa. È che io vedevo fin troppa gente sul
lavoro, a mia moglie invece non piacevano molto le persone,
o forse era lei che non si piaceva piú in mezzo a loro. Faceva
eccezione mio fratello che, dal giorno in cui si erano presen-
tati, Nadia aveva preso in simpatia. La cosa era reciproca.
«Te sei una che gioca a calcio coi maschi, ma poi fuma da
sola», le aveva detto Marco dopo averle parlato per pochi
minuti, e Nadia gli aveva sorriso senza dire niente, come
fanno le ragazze quando sanno che hai capito. Con lui, piú
che con me, Nadia riusciva a parlare di libri letti, di film
visti mentre io ero fuori la sera, trovando tutte le volte un
interlocutore piuttosto preparato e questo pareva essere, per
entrambi, un conforto sufficiente. Continuavamo perciò a
invitarlo, ogni due o tre settimane. Se ce ne dimenticavamo,
Marco non mancava di ricordarci che, per palesarsi all'ultimo, non aveva bisogno del nostro consenso. Nadia non lo
avrebbe permesso a nessun altro.
Da quando aveva divorziato da Anna e lei si era rispo-
sata, però, Marco era diventato un uomo cupo e ostile,
pervaso da un sarcasmo che sconfinava nella misoginia, e

lo accoglievamo soprattutto per farlo sentire meno solo.
Anche per sentirci meno soli noi, e alleviare il vuoto della
nostra intimità esaurita.

Non lo avremmo ammesso mai, ma l'utilità di Marco
nelle nostre vite era quella di confermare la nostra percezione come coppia: per lui eravamo da sempre l'approdo
saldo, la certezza della stabilità, l'amore leggendario che
aveva imparato a proteggersi dalla tempesta. Per noi, al
contrario, Marco era la fotografia di tutto ciò che non
volevamo diventare, e ci ricordava quale genere di solitudine ci fosse ad attenderci là fuori, nel mondo. Anche
per questo, non gli avevo parlato dei problemi che avevo con Nadia, perché non avrei mai potuto ferirlo con la
notizia che la solida roccia sulla quale credeva di poter
contare era stata lentamente erosa dall'interno.

Si presentò alle otto in punto, una bottiglia in ciascu-
na mano e l'aria di chi ne aveva già stappata una prima
di partire, i capelli spettinati, una giacca sgualcita sopra
una t-shirt rossa di una taglia troppo piccola, e un visto-
so occhio viola.

– Che cazzo hai fatto?! – dissi levandogli di mano le
bottiglie.

– Ho fatto a pugni con un ragazzino, – disse con una
venatura di orgoglio nella voce.

– Cosa?! – urlò Nadia emergendo dalla camera.

– Però gliene ho anche date, eh? – aggiunse toccando-
si lo zigomo.

– Ma è successo mentre venivi qui?! – dissi. – Ecco perché il ghiaccio!

– Ma no, no, te di occhi pesti non capisci una sega. È
roba di una settimana fa, – disse lasciandosi cadere sul divano come un palloncino sgonfio. – Stappa il Pieropan,
dài, che è già fresco, e nel ghiaccio mettici l'altra.

– Ma...

– Cosí poi vi racconto, – ci rassicurò.

Mentre sorseggiava il Soave a occhi chiusi, Marco aveva l'aria di chi davvero non ne ha voglia, ma gli tocca. Inspirò a fondo, poi buttò fuori l'aria tutta insieme.

– Matilde si droga, – disse.

Ci fu un silenzio di qualche secondo.

– Che vuol dire che si droga?! – disse Nadia.

– Fuma erba. E sta con un tizio che pare la smazzi a scuola.

– Va be', si droga... – dissi mulinando in aria una mano.

Nadia mi fulminò con lo sguardo.

– Nel senso, – precisai, – parliamo di una canna ogni tanto, o sospetti roba piú pesante?

– No, – disse Marco. – E pure le canne credo se le faccia tanto per rompere il cazzo alla stronza di sua madre.

Buttò giú il vino in un sorso.

– Anna un paio di settimane fa mi telefona. «Tua figlia», mi dice. E già dall'esordio capisco di quale delle due figlie si tratti. Insomma mi dice: «Lo sapevi che tua figlia si drogaaa?!», con questo tono qui, di sirena dell'ambulanza. Subito ho fatto la stessa faccia vostra. Ma poi, dopo avere chiesto i dettagli, i comedovequando, e avere scoperto che tutto il casino era perché aveva trovato mezza canna svuotandole i jeans, ho detto, – fece una pausa, si alzò dal divano per prendere la bottiglia, si riempí il bicchiere, si sedette di nuovo, – ho detto è normale che i ragazzi, alla sua età, facciano qualche tiro.

– Marco, – disse Nadia.

– Aspetta, – disse lui, mentre beveva, facendo segno di fermarsi. – Lo so, lo so. Ma il fatto è che non sopporto il suo tono da tragedia per ogni cosa, come se ogni volta un asteroide stesse per centrare la Terra. Comunque, la

conclusione è stata che io sono un padre indegno perché trovo normale che mia figlia si droghi, e che stia con uno spacciatore. E, anche se siamo divorziati, mi devo prendere le mie responsabilità educative e tutto il repertorio.
– Quindi, tu hai messo giú come al solito? – dissi.
Marco accennò un sorrisetto amaro.
– Quindi, le ho promesso che avrei parlato a Matilde.
– E lo hai fatto?
– No, perché so come vanno queste cose.
– Ecco.
– Però ho parlato con lui.
– Con *lui?*
– Con lui. Ad Anna era scappato il cognome e mi ha detto che a scuola lo conoscono tutti, «ha pure un tatuaggio in faccia», e allora sono andato a beccarlo all'uscita. Fortuna che era da solo. Sono il padre di Matilde, andiamo a farci un caffè?, gli ho detto. E lui sai cosa mi ha risposto?
– Cosa?
– Io bevo solo birra, – ha detto. – E lí ho capito quanto la vita sia ingiusta, perché io e quel ragazzo, se fossimo stati coetanei e ci fossimo conosciuti all'età sua, saremmo potuti diventare grandi amici.
– Ma non sareste arrivati vivi ai trenta, – dissi io.
Marco ridacchiò annuendo con la testa, mentre si portava il bicchiere alle labbra per bere un goccio, infine lo posò sul tavolino del soggiorno, trovandogli un posto fra la slavina di riviste e libri e giornali che erano scivolati giú.
– Insomma, al bar ci siamo andati, e non era cominciata neanche male. Poi, però, sono entrato troppo nella parte, perché lo avevo promesso ad Anna, – disse grattandosi una tempia, – e gli ho detto che non volevo che trascinasse mia figlia in qualcosa di illegale, che non ero un bigotto ma lo spaccio no, che altrimenti doveva smettere di frequentar-

la. Ed è stato lí che si è messo a ridere. Ma ridere sul serio, eh? E mi ha detto: ma io mica la frequento, zio, io me la *scopo*, cosí ha detto. Noi *scopiamo*, ha ripetuto, e tu non puoi farci niente, zio, e comunque forse dovresti chiedere a tua figlia come la vede lei, mi ha detto. Cioè, lui faceva la morale a me, capito? E allora lí non ci ho visto piú. Prima son volate parole, poi l'ho trascinato in strada ed è andata a finire com'è andata a finire.

– Ma porca puttana, – dissi.

– Un toro di diciotto anni, svelto come il fulmine. Tu e il tuo braccino sareste morti, avreste avuto una speranza solo se fossi riuscito a sederti sulla sua faccia –. Rise.

Nadia arricciò il naso, lo faceva un tempo quando stava per partire a difendermi. Invece attaccò.

– Ma sei scemo, Marco? Hai fatto sul serio a botte con un liceale?

– Ehi, ha cominciato lui!

– E tu saresti l'adulto, tra i due? Ringrazia se i suoi genitori non ti denunciano.

– Voglio proprio vederli, 'sti genitori, con tutto quello che si bomba il figlio.

– Sí, ma il risultato di tutto ciò? A parte l'occhio, – intervenni, nel tentativo di smorzare la tensione.

– Esatto, – disse Nadia. – Sei riuscito almeno a capire perché tua figlia spreca le sue giornate con un tipo simile? Sei riuscito a capire che cosa le passa per la testa, che cosa sta cercando di dirti? O nemmeno te lo sei domandato? – La voce era alterata, e anche se il rimprovero era rivolto a mio fratello mi sentii inspiegabilmente nel mirino.

Marco invece rideva, o dissimulava e basta.

– Il risultato è che ora ex moglie e primogenita mi odiano in egual misura, – disse. – Quanto siete stati fortunati voi due a non avere figliato, guardate, non ne avete un'idea.

Nadia mi lanciò un'occhiata, ma non appena i nostri sguardi si incrociarono il suo cambiò traiettoria.
– E adesso, cosa pensi di fare?
– E adesso penso di berci su, e passare una bella serata con la mia coppia di orsi preferita, *what else*? – rise. – Che propone il menu stasera, cambusiere?
– Ah, be', – dissi aprendo il frigo. – Data l'improvvisata, mi sa che dovremo arrangiarci.
– Dimmi che hai ancora il salame all'aglio dell'altra cena. Dimmelo o me ne vado.
– Ma non ti dispiace che Anna e Matilde ti odino? – disse Nadia. – Non senti il desiderio di rimediare?
– Rimediare a che? All'essere me? – disse Marco. – E poi in effetti non lo so se mi odino, spero di no. Di sicuro mi considerano un coglione.
– E non ti dà fastidio se la donna che hai amato e la figlia che avete fatto assieme ti considerano un coglione? – lo incalzò.
Marco ci pensò su, tenendosi il mento.
– No, – disse. – Mi darebbe piú fastidio se mi considerassero un coglione ma facessero finta di niente per non ferirmi, per esempio.
Marco la guardò, Nadia si irrigidí.
– E poi l'amore è destinato a essere incenerito dalla realtà, ragazzi miei, in giro è peggio di un disastro ferroviario, fidatevi. Voi siete gli unici che conosco che riescono ancora a sopravvivere insieme, chiusi nella vostra torre di Rapunzel –. Rise.
Mi accorsi che, per la prima volta, mia moglie stava subendo il tono canzonatorio di mio fratello.
– L'amore è un cane che viene dall'inferno, – se ne uscí lei, dal nulla, come stesse rispondendo a una domanda che nessuno le aveva fatto. – O è abituato alle fiamme, o non è.

Marco si tirò in piedi, facendo forza con le mani sulle ginocchia, prese la bottiglia di bianco, si riempí ancora il bicchiere.

– Allora il matrimonio è un guinzaglio senza cane, – disse alzando il calice in direzione di mia moglie.

Io scoppiai a ridere per l'assurdità dell'immagine, soprattutto in contrasto col tono aulico della citazione di Nadia, Marco mi seguí con la sua risata grassa. Nadia ci fissò senza dire niente.

La nostra cena insieme fu un lento supplizio in cui ebbi la sensazione che, tra una battuta e l'altra, lo specchio si fosse infranto per sempre.

Quando Marco se ne andò, prima del solito, io rigovernai la cucina e Nadia fuggí a riempire una lavatrice. Questo mi rese chiaro che non aveva alcuna voglia di parlarne. Una volta tornata, si sdraiò sul divano e si addormentò davanti alla tivú, mentre stavo ancora lavando i piatti. Chiusi piano le finestre, attesi qualche minuto per verificare la profondità del suo sonno, infine scesi in studio intenzionato a scriverle.

Mio fratello, senza saperlo, con la sua uscita sul cane mi aveva offerto un aggancio che pareva concordato. Erano passati due giorni dall'ultima lettera di Nadia, due giorni lunghissimi in cui avevo cercato le parole giuste per risponderle e ora, di colpo, le vedevo davanti a me.

Ma non si trattava solo di questo.

Sentii, al termine della cena, che mia moglie aveva piú che mai bisogno di un segnale per non cadere giú, della rassicurazione di un uomo che le mostrasse di non sminuire le sue argomentazioni, di non ridere dei suoi discorsi, ma per il quale, al contrario, le sue parole potevano rappresentare una salvezza.

Iniziai a scrivere con l'orecchio teso, nel timore che scendesse a vedere che stavo facendo.

Quando risalii dormiva ancora, non ebbi cuore di tirarla su e portarla in camera, per paura di svegliarla, sentivo che quella sera non me l'avrebbe perdonato.

«Arriverà a letto piú tardi», pensai.

Mi sbagliavo.

33.
L'ordine del disordine

Cara Nadia,

grazie di avermi risposto subito.

Ti chiedo scusa se io riesco a farlo solo ora.

È che le tue parole sono andate a fondo anche stavolta, sono unghie nella carne viva. Non mi meraviglierei se tu di professione scrivessi – è cosí? – perché le immagini che evochi sono talmente vivide che sembra di essere lí: ad ascoltare tua nonna, il suono delle onde, al mare di Otranto con te.

Ho continuato a pensare a un'altra immagine, contenuta nella tua ultima lettera. Quella dei cani smarriti che non riescono a rintracciare la via di casa. La cosa dell'odore che si perde e svanisce, anche fra le persone, quanto è maledettamente vera. Ci incontriamo annusandoci e poi un giorno, d'un tratto, non ci riconosciamo piú.

Ma che fare quando il cane smarrito sei tu? Quando ti sembra di rovistare nei rifiuti di quel che resta, dimenticato, randagio, sporco e inutile, quando nel tuo sguardo non ti ritrovi? E come resistere a questo cambiamento che dici, come accoglierlo senza compromettere quel che siamo e quel che c'era? Mi rifiuto di pensare che ciò che ci accomuna in quanto esseri umani sia solo la certezza della perdita. Mi sento uno che ha atteso per anni una persona che arrivasse nella sua vita a fare ordine, ma quando poi è successo, quando la persona è arrivata, si è accorto che quello fuori posto era lui.

A te è mai capitato? Non riesco a fare a meno di rivolgerti domande, come se tu potessi avere tutte le risposte. Mi piace immaginare sia cosí, anche solo per gioco.

Mi sono reso conto di adorare la tua sicurezza. Sei sempre diretta, quasi tagliente, ma allo stesso tempo esprimi una dolcezza antica e nostalgica, una grazia d'altri tempi. Sei una sopravvissuta che offre riparo a un sopravvivente, ogni tua lettera è per me una benedizione.

Il fatto è che prima di scriverti avevo la mente offuscata da un timore indistinto che mi volteggiava intorno, come un piccione entrato per sbaglio dalla finestra. Invece mi piace parlare con te perché mi sembra che le tue parole rendano piú chiare anche le mie, e che insieme riescano a illuminare un luogo tranquillo, in cui è piacevole stare.

È bello che tu ci sia.

Ti abbraccio,

Antonio

34

Di cuori e d'acciaio

Caro Antonio,
   ti racconto una storia.
   Da piccola avevo un cane.
   Si chiamava Maccli, come il cane di Dick Dastardly.
In realtà il cane nel cartone si chiamava Muttley, ma
le convinzioni che hai da bambina non le smuovi con
niente, come quando per anni rimasi convinta che nella
sigla di *Jeeg Robot d'acciaio* il ritornello dicesse «Jimba»
invece di «Jeeg va».
   Comunque: chiedevo un cane a mio padre da anni,
un giorno si decise.
   Arrivò a casa con un cucciolo, un bastardino dal pelo a macchie nere e bianche. Uno di quegli incroci che,
se addestrati a dovere, vanno bene per i tartufi. Io gli
mettevo una cuffietta di pizzo in testa e lo portavo in
giro in un cestino di vimini, neanche fosse un neonato.
Restò con noi per un po', poi mio padre si accorse che
aveva problemi di fiuto. Allora lo restituì al cacciato-
re che gliel'aveva dato. Al suo posto prese il fratello
maggiore. Il fratello era identico, stessa pezzatura, ma
con le sopracciglia marroni e le zampe posteriori un po'
troppo storte.
   Le zampe troppo storte non gli impedirono di diventare Maccli.

Maccli visse con noi a lungo, fino al giorno in cui mio padre lo perse durante un'escursione alle Murge, o almeno cosí ci disse. Ma io, negli anni, continuavo a pensare al suo fratellino. Era stato riportato indietro per un difetto, solo perché quel difetto non era evidente. Penso che a volte accada cosí anche con le persone. Quel che siamo affiora col tempo, dopo che ci hanno messi alla prova, ed è allora che cominciano i guai. Il problema non è tanto quando scopriamo, in chi amiamo, cose che non sapevamo, ma quando ci ostiniamo a celare noi stessi, convinti che offrire il nostro meglio significhi lucidare la promessa della superficie a discapito del resto.

Ecco perché io sono per i difetti esibizionisti.

La sola occasione che abbiamo di stare bene con qualcuno è non mentire su ciò che siamo.

È possibile che la tua Agnese abbia considerato che in questo sforzo di migliorare la confezione, ciò che è visibile, tu abbia trascurato quel che sei. Oppure è possibile che si sia innamorata di un altro. O che si sia resa conto che il vestito del matrimonio le dava claustrofobia.

Molti anni fa, Milo mi disse che innamorarsi in fondo è un'intuizione, è come fare un progetto. Butti prima giú lo schizzo, l'idea incandescente, sulla carta. Ed è la parte piú facile. Amare è invece caricarsi i sacchi di cemento sulla schiena e dar forma a quell'idea. Renderla reale. Ci vuole tempo, fatica, dedizione, e sperare di stare costruendo in una zona poco sismica. Il fatto è che quando un amore hai finito di costruirlo devi decidere se abitarlo, e quella è un'altra faccenda. Ci sono persone che si divertono a costruire per poi buttare giú tutto e ricominciare da capo. Non riescono a sopportare la stanzialità sentimentale.

Ora, è chiaro che io non ho risposte, nessuno le ha, possiamo solo avventurarci sul sentiero delle congetture. Ma quel che voglio dirti è che, per me, ciò che conta in una relazione, anche quando finisce, è la consapevolezza di essere stati onesti, perché poche cose sono tristi quanto una sofferenza causata dal fatto che chi ci ha lasciato ha abbandonato un guscio che non eravamo noi.

All'epoca di mia nonna era tutto piú semplice, perché tanti anni fa non c'erano le confezioni delle cose, c'erano solo le cose. Mio nonno era un burbero maschilista, rozzo e primitivo, brutale e a suo modo sensuale, ma non ha mai cercato di nasconderlo. Mia nonna era una femminista ante litteram, tosta come la pietra bianca che suo marito cavava a Melpignano, ma ogni sera, quando lui tornava, gli ungeva a lungo le mani con la cera disciolta nell'olio d'oliva, per attenuargli le vesciche.

Diversi quanto il giorno e la notte, sono rimasti insieme cinquantasei anni, fino a quando il nonno è morto.

Hanno amato, odiato, confrontato il loro centro, senza celarsi mai l'uno all'altra.

Un po' quel che facciamo noi qui, in fondo.

A te piace il mio essere diretta, io mi accorgo di apprezzare la tua avventata fiducia, che sembra in contrasto con quanto mi hai raccontato di te. Col tuo vivere in difesa. Mi porgi le tue mani anche se sei spaventato, io le prendo fra le mie anche se non avrei motivi per farlo. È una scommessa che entrambi accettiamo, quella di esporci qui, attraverso segni e spazi, accenti e attese. Di non nasconderci neppure la grazia dell'imperfezione.

Chissà perché in molti credono che la parola scritta limiti, rispetto alla pienezza del parlarsi a voce. Sentono la mancanza del tono, dei gesti, delle espressioni del viso. Mentre la verità è che la scrittura non diminuisce, ma concentra. È proprio quando le limitazioni aumentano che i sensi si affinano, e possiamo percepire il mondo intero sulle punte delle falangi.

Perciò, sí, la scrittura è una parte fondamentale della mia vita, il lavoro che ho scelto e l'amica fedele di tutti i miei giorni. Anche dei tuoi, forse?

È bello anche per me che tu ci sia. Avere un compagno di penna è un dono prezioso.

Non sprechiamolo.

Ti abbraccio,

Nadia

35.
Tango

La sua nuova mail mi arrivò mentre ero al lavoro. Sembrava che Nadia registrasse le sue tempistiche di risposta sulle mie: due giorni l'avevo fatta attendere, due giorni fece aspettare me. C'era una specularità ritmica nei nostri movimenti, una specie di controllata sincronia, come stessimo ballando un tango. Era passato da poco mezzogiorno ed erano appena entrati i primi clienti. Avrei voluto rispondere immediatamente ma non potevo, fui costretto ad attendere la chiusura del servizio. Quante volte, mentre ero all'osteria, avevo desiderato solo che lei entrasse dalla porta. Avevo l'impressione che, se fosse successo, ogni cosa sarebbe andata a posto. Ora c'era quest'illusione, che ci andava piuttosto vicino. Vicino era abbastanza.

Pensai alla risposta, per tutto il tempo.

C'era, nella sua lettera, uno scarto percepibile, una nascente sensazione di intimità. Per la prima volta, oltre l'opportunità della consolazione, o la necessità del dire, leggevo la dichiarazione di un interesse, una volontà di conoscere. Mi chiesi quanto potesse dipendere dalla brutta serata con Marco. Quanto questo suo avvicinamento improvviso ad Antonio fosse il riflesso di un suo allontanamento ulteriore da me.

Decisi che non m'importava.

Cara Nadia,

quello che mi scrivi io lo sento, e puoi credermi se ti dico che non è affatto un risultato scontato. Ho cominciato anche un po' a immaginarti, sai? Spero che la mia confessione non ti turbi, ma in questo confrontare i nostri centri avverto il bisogno di vederti. Sapere come sei. Ti penso alta, elegante, con un'aria vagamente sofisticata ma gli occhi tristi. Di una tristezza scelta e non subita, quasi una condizione esistenziale. Cerco di immaginare il tuo corpo e mi rendo conto, solo adesso, di non avere la minima idea della tua età. Non te l'ho mai chiesta, e pensavo che dopotutto non m'importa. Non è galanteria, è che sei fatta delle parole di cui ti vesti qui, e quelle sono senza tempo.

Comprendo il parallelismo di tuo marito, e avrei molto da dire in merito. Ma mi piacerebbe che tu mi parlassi di piú della tua passione. Cosa scrivi? Per quale ragione lo fai? Cosa ti anima? Io non sono un professionista, ma scrivere è un'attività che mi accompagna da sempre, e mi tranquillizza sapere che abbiamo qualcosa in comune. Anche la tua analisi mi appare perfetta. Con Agnese, per esempio, la comunicazione era esclusivamente a voce, cosí accade nelle vite di molti, e credo che pure questo abbia contribuito ad allontanarci. Se la scrittura amplifica, come dici, la vita vera può annacquare il senso delle cose. Mi è capitato spesso di pensare a quanto sarebbe utile, all'interno di un rapporto d'amore, una corrispondenza occasionale che possa essere libera da noi, dai nostri corpi, dai sottintesi e da tutto il carico anche somatico e pregiudiziale che attribuiamo alle intenzioni di chi conosciamo da tempo. Mi sono fatto l'idea che, nei rapporti di lungo corso, si

finisca a parlarsi meno non tanto perché non si hanno
piú cose da dirsi, ma perché si può arrivare a ritenere la
propria voce, o quella di chi ci parla, quasi un'aggravan-
te. L'interpretazione di un cattivo attore che può compromettere il significato di un pensiero. Anche adesso,
che mi ritrovo a parlare spesso da solo, in questa casa
vuota e silenziosa, le cose piú interessanti che riesco a
dirmi restano quelle che annoto sui miei diari. Soltanto
lí, riesco a vedermi davvero.

Scrivendo a te, riesco a vedermi ancora meglio. E la
meraviglia di pensare che questa nostra piccola stanza
sia il frutto del piú stupido degli errori non fa che aumentare la mia gratitudine per le mie dita distratte.

Anni fa lessi in un libro che scrivere è sempre scrivere a qualcuno, perfino quando quel qualcuno siamo
noi stessi.

Ma è cosí bello che adesso quel qualcuno sia tu.

Un bacio,

                                                    Antonio

36.
Arance

Caro Antonio,

senti anche tu questo profumo di arance? Mi sono appena fatta una spremuta, ne vuoi? Milo, che si occupa della spesa e della gestione della dispensa, mi bacchetterebbe facendomi notare che le arance rosse sono fuori stagione. Io gli risponderei che le stagioni non possono controllare i desideri, proprio come accade fra le persone. Non bevevo una spremuta fresca non so da quanto, un tempo me ne facevo di continuo. Allora ieri sono uscita, sono andata dal fruttivendolo vicino alla chiesa e ho comprato un chilo di Tarocco. Un piccolo gesto di ribellione adolescenziale, un ritorno a una me che non ricordavo. Forse è un po' merito tuo, chissà.

Scrivo perché è ciò che so fare, non potrei dedicarmi a nient'altro. C'è questo romanzo al quale sto lavorando da lungo tempo, che è ormai tutta la mia vita. Lo è letteralmente.

Che cosa mi muove?

L'ossessione di lasciare una traccia. Un segno che dica: sono io, sono qui, sono stata questo. Non si tratta dell'idea eroica di gloria degli scrittori antichi, ma di un desiderio piú primitivo. Forse la stessa ragione per cui tu tieni i tuoi diari (che esercizio affascinante, d'altri tempi). Annotare, registrare, raccogliere, tenere insieme

noi e il mondo. Mia madre se n'è andata quando avevo
vent'anni, ma una forma di Alzheimer giovanile l'aveva
già fatta scomparire un giorno alla volta, come in una
dissolvenza. C'è cosí poco tempo per fare ciò che amiamo, affermare chi siamo, lasciare testimonianza di sé.

Questo per dirti che io invece non lo so se ti voglio
immaginare, Antonio. Immaginare qualcuno vuol dire
ridurlo a una forma, e io preferisco che attraverso le tue
parole tu sia tutto ciò che vuoi essere.

Non voglio metterti limiti, non dartene tu.

Comunque abbasso la galanteria: ho quarantasei anni.
Il resto, magari, lo scoprirai.

Un bacio,

Nadia

Lessi la sua nuova risposta al termine del servizio del pranzo, un'ora dopo che le avevo spedito la mia. Ero salito in Vespa verso Castel San Pietro, con tre uova sode e una Peroni ghiacciata. Seduto sul muretto, mentre sgusciavo le uova, perdendomi nella vista di Verona dall'alto, con le parole di mia moglie ancora in testa, mi trovai a considerare alcune cose.

La storia del bosco che avevo raccontato a Nadia era vera. Mi resi conto che non gliel'avevo detta mai. Allo stesso modo, anche se io sapevo di Otranto, non conoscevo la massima di sua nonna, la storia del suo cane, e perfino il suo amore viscerale per il mare mi appariva, adesso, sotto una luce inedita.

Era proprio come avevo sperato.

Questo gioco di maschere ci consentiva di essere piú noi di noi, era un filtro che annullava tutti gli altri e che ci permetteva di ricordarci, di scoprire quanta vita c'era stata prima della nostra insieme. Col tempo smettiamo di chiederci da dove arrivino le persone che amiamo, quali percorsi le abbiano portate fino a qui, attraverso quali ferite abbiano potuto affacciarsi sulle nostre.

Poterci affidare di nuovo piccoli segreti con la fiducia che, certe volte, si accorda misteriosamente agli estranei, somigliava a un risarcimento. Era come aveva detto lei: io allungavo la mia mano e Nadia, a diversi chilometri oppure ore di distanza, la stringeva. Era una specie di sogno, che ci aiutava a ripulire le nostre vite dalla quotidianità tossica che ci stava avvelenando.

La domanda era: quanto sarebbe durato? E per quanto mi sarebbe bastato?

All'improvviso, ebbi la percezione della pericolosità del gioco che stavo portando avanti.

Nadia avrebbe potuto smettere di scrivermi in qualunque momento, scegliere di sparire nel nulla, senza spiegazioni, oppure io avrei potuto tradirmi senza accorgermene.

Avevo già perso mia moglie una volta, in un reciproco allontanarsi durato quindici anni di vita insieme. Sapevo che non avrei sopportato di perderla ancora.

Ma forse, pensai, il rischio inaudito che Nadia aveva nominato nelle sue prime lettere era proprio questo. E se l'amore era davvero un cane che veniva dall'inferno, dovevo essere disposto a scendere all'inferno con lui, giocare su un terreno che non era il mio, accettare il rischio definitivo di rimetterci tutto.

38.
Bisogni primari

La sera tornai a casa e mi venne una sciocca curiosità. Cercai le bucce d'arancia nel sacchetto dell'umido, non le trovai.

Non sapevo cosa pensare. Se il racconto della spremuta era stato un'invenzione, allora voleva dire che Nadia lo aveva scritto solo per flirtare. Era una novità che mi riempiva di stupore.

Ma c'era un'altra ipotesi: che le bucce le avesse nascoste, o gettate altrove, per non farsi scoprire da me. L'idea della sua piccola ribellione segreta mi aveva fatto sorridere, ma mi aveva anche dato da riflettere. Era vero che avevo un'ossessione per la stagionalità, e che magari potevo risultare un po' pesante nei miei integralismi, e forse Nadia viveva sul serio, almeno in parte, le mie premure alimentari come un atteggiamento opprimente. Questo pensiero mi ricolmò di tristezza.

Il fatto è che mi stancavo a cucinare per me, ma adoravo fare la spesa e cucinare per lei.

Amavo essere sorpreso dalle primizie, dai prodotti artigianali che arrivavano in quantità esigua e andavano colti al volo, finché c'erano. Per questo uscivo per mercati la mattina presto. A guidare la mia curiosità, più del menu dell'osteria, più delle imperdibili occasioni che duravano, a volte, poche ore appena, era sempre la stessa cosa. C'erano i primi asparagi di Mambrotta? Fantastico, a Nadia il pasticcio di asparagi piaceva tantissimo. Il pecorino pugliese di grotta? Perfetto per il timballo di maccheroni, che le ricordava sua nonna. Le castagne? Le riducevo in un budino eccezionale, uno dei pochi dolci che amava. Cucinare per lei mi faceva stare bene, e quando le cose cominciarono a farsi difficili divenne una specie di cemento con cui m'illudevo di tappare i buchi della nostra relazione. Preparavo le vaschette e i Tupperware direttamente nella cucina dell'osteria, fermandomi spesso oltre l'orario di chiusura. Quando rincasavo mettevo tutto in frigo, immaginandola il giorno dopo infilata nella sua salopette scolorita, avvolta nel suo maglione da casa, la testa ancora sulle ultime parole digitate: me la vedevo spalancare la portella e sorridere davanti ai suoi piatti preferiti. Era anche una maniera per farle risparmiare tempo, toglierle un'incombenza, le bastava aprire il microonde e riscaldare. «Ma il colpo di grill, per la gratinatura finale, dallo nel forno statico», le raccomandavo col timballo. Non mi ero mai aspettato complimenti, quando mi capitava di chiederle: «Com'era?» mi rispondeva sempre: «Buono», spesso senza nemmeno alzare gli occhi. Ma a me andava bene cosí, perché sapevo di averla raggiunta una volta di piú, anche solo attraverso il suo stomaco. Pure quando eravamo lontani io ero sempre lí, dentro di lei, da qualche parte.

Man mano che la nostra corrispondenza s'infittiva, però, cominciai a notare piccoli cambiamenti nelle sue abitudini.

Un lunedí notte rientrai sotto la pioggia, in mano una teglia di parmigiana di melanzane, aprii il frigo e sul secondo ripiano trovai la porzione di insalata di pollo che le avevo portato il giorno precedente. Intatta. La mattina dopo, mentre si preparava per andare in redazione, glielo chiesi.

– Perché ieri non l'hai mangiata?

– Non avevo fame, – mi rispose continuando a sottolineare a penna un libro.

Cara Nadia,
dunque tu fai sempre ciò che ami? Io sí. Anzi no, non sempre. Nel senso che lo faccio quando ci riesco. Poi le cose che amo sono troppe, quindi non dovrei fare altro nella vita. Va detto che io mi adatto spesso alle situazioni. Non che mi faccia piacere tutto, eh. Però sono uno da bicchiere mezzo pieno, ecco. Si potrebbe quasi dire, infatti, che amo sempre quel che faccio. Anche se mi sento costretto in qualcosa cerco di metterci la voglia, è la mia maniera per superare le situazioni difficili. Il fatto è che mi sembra di avere abbastanza tempo per ciò che amo ma meno per me, non so dirlo meglio di cosí. E tu?

Caro Antonio,
certe volte sei buffo. Se ami sempre quel che fai, che succede quando non fai? Non ami piú? E poi che significa avere abbastanza tempo per le cose che ami ma non per te? Le due cose non coincidono? Dedicarsi a ciò che si ama non significa forse dedicarsi a sé stessi?

Il mercoledí il pollo era ancora lí, insieme alla parmigiana. L'indomani mi trattenni dal cucinare altro, non volevo sembrarle pressante, in fondo aveva cibo per almeno due giorni. Al rientro mi sentii un po' sollevato, perché la parmigiana era stata aperta e assaggiata, non molto, giusto

un angolino, ma era abbastanza. L'insalata di pollo invece
avrebbe resistito un altro giorno al massimo, poi sarebbe
stata da buttare.

Cominciai a pensare che mangiasse poco perché era ner-
vosa, forse uno snodo del romanzo che non le veniva come voleva, magari avrebbe preferito qualcosa di veloce e
sfizioso, delle polpette, oppure un cremoso al cioccolato.

Ma, la sera dopo, niente era stato ancora toccato.

– Ho mangiato un panino, – si giustificò.

– Un panino?

– Sí, perché?

Cara Nadia,

non saprei. Quando non faccio niente amo pure quello, in un certo senso. Ma non fare niente non mi capita
quasi mai. Sono sempre in movimento, stare fermo non
mi piace. Ho bisogno di sentire il corpo muoversi, adoro
stare fuori, annusare l'aria. Dipendesse da me anche le
finestre delle case sarebbero senza vetri. Perennemente
aperte. Il discorso del non avere tempo per me, invece,
non so. Certi giorni mi sembra di subire la vita di un
altro e di riempirla di cose solo per non sentire il rumore. Soprattutto adesso. Però tu non mi hai risposto, eh.
Non credere di cavartela cosí!

Caro Antonio,

anche non rispondere è una risposta. E la mia è no,
non faccio sempre ciò che amo. Al contrario di te, mi
capita spesso di odiare tutto. E tu, bicchiere mezzo pieno, odi mai? Nemmeno i razzisti o la pioggia di traverso
o le ascelle sudatissime o il fatto che abbiano smesso di
produrre il McRoyal DeLuxe?

Decisi di cambiare strategia. In osteria preparai della bresaola affettata sottile con un velo d'olio d'oliva e qualche scaglia di grana, piú un cartoccio di soppressa al finocchio, che le piaceva tanto, almeno avrebbe potuto imbottirsi per bene i prossimi panini. In effetti, con l'estate alle porte le pietanze calde potevano farle meno gola, sciocco io a non pensarci. E non m'importava che mangiasse piatti cucinati da me, bastava che il cibo provenisse dalle mie mani. Ma entrambi i pacchetti finirono relegati in fondo al frigo, dietro al pollo che iniziava a presentare un sottile velo di muffa, accanto alla parmigiana che andava rinsecchendosi. Avrei dovuto mangiare io quello che scartava, avrei dovuto mangiarmi parmigiane, polpette, cremosi, salumi, ma non volevo farlo, erano cose che avevo preparato per lei, erano i miei gesti d'amore confezionati in buste di carta stagnola. Buttarli mi dava una sensazione orribile, come se stessi gettando un pezzo di noi.

Mi rifiutai di arrendermi, ricominciai con piatti ancora piú semplici, variando dalla pasta fredda al pesce di lago, dalla caponata ai dolci secchi, ma il risultato fu lo stesso: Nadia non toccava niente. E con cosa se li facesse, quei maledetti panini, rimaneva un mistero.

Caro Antonio,

sorpresa, stavolta ti ho anticipato.

Buongiorno! Il mio non è cominciato nel migliore dei modi: stanotte sono stata un po' male, ho dormito solo due ore, l'auto è dal meccanico e il bus che ho preso per andare in redazione era cosí pieno che ha lasciato gente a terra e ha saltato due fermate. Oggi giornata incasinatissima. A te spero sia andato tutto bene, meglio di come procede il mio lavoro. Sono pesantemente in mezzo al mare, quindi temo andrò a fondo, ma non è responsabilità mia mettere una pezza a questa falla. Perciò aspetterò serena la disfatta, senza troppa allegria ma nemmeno da perderci (ancora) il sonno. Per fortuna posso leggere te e mi fai bene. Tu pensi un sacco di cose, sai? Hai bei pensieri.

Resistetti quasi due settimane così, cercando di non sollevare questioni, giustificando lei e il suo improvviso disinteresse culinario con attenuanti ragionevoli. Fino a quando, una domenica mattina, di ritorno dalla mia corsa, la trovai accoccolata sul divano, davanti alla tivú, a sgranocchiare quella che sembrava una merendina confezionata. La piccola crostata ai mirtilli che avevo portato la sera precedente giaceva invece sul tavolo della cucina, ancora incartata nella stagnola.

– Perché non mangi piú le cose che ti preparo? – le chiesi mentre masticava, il telecomando in mano e lo sguardo altrove.

– Non ti ho chiesto di prepararmi niente.

Ebbi un moto di incredulità e stizza.

– Ma io lo faccio per te, hai bisogno di mangiare cibo vero!

Nadia posò il telecomando. Deglutí.

– Non sono tua figlia, – disse, – smettila di decidere di che ho bisogno. Magari potresti chiedermelo, ogni tanto, giusto per fare qualcosa di diverso.

Rimasi spiazzato dalla sua uscita, ma non volevo raccogliere la vena polemica, non avevo alcun desiderio di litigare. Non con lei, non proprio adesso. Dovetti fare uno sforzo per mettere insieme la domanda.

– E di cos'hai bisogno, Nadia?

Nessuna risposta.

– Su, non hai proprio niente da dire?

Per un attimo alzò gli occhi su di me, poi tornò a guardare la tivú.

– Di bei pensieri, – disse.

39.
Vasi comunicanti

Era frustrante.

Piú le nostre lettere diventavano gioiose e la vicinanza epistolare cresceva, piú la realtà mostrava i denti. Era come nel principio dei vasi comunicanti: quel che di nuovo compariva in un vaso, doveva per forza scomparire dall'altro.

Nadia, ora che c'era Antonio, sembrava non volere piú niente da me. Il rifiuto del cibo mi spaesò piú del rifiuto del sesso, perché si trattava dell'ultimo lembo di terra emersa che ci era rimasto. L'unica possibilità che avevo di arrivare a lei erano adesso le parole di uno sconosciuto, che mia moglie sembrava gradire piú di qualunque mia attenzione.

Mi confortava il fatto di sapere che, di quelle parole, ero io l'artefice.

Mi spaventava l'impressione di stare scavando un fossato, nel tentativo di aggirare un muro.

Ma gli intervalli tra una mail e l'altra, tra una domanda e una risposta, diventarono sempre piú lo spazio che separava un respiro dal seguente. Arrivammo a scriverci molte volte al giorno, lettere chilometriche o messaggi telegrafici, guidati da una compulsione alla quale era impossibile opporsi. Eravamo rimasti orfani d'amore cosí a lungo, che avere la possibilità di relazionarci intimamente con qualcuno, anche solo attraverso le parole, era risalire in superficie dopo una lunga apnea. Non sapevo nemmeno piú se era quello che cercavo, o speravo, ma era tutto quello che c'era. Mi sembrava tantissimo.

Cara Nadia,

ho continuato a pensare a uno dei tuoi ultimi messaggi. Odio eccome, ma credo che le cose che amiamo dicano di noi piú di quelle che detestiamo. Facciamo un esperimento: tu che musica ascolti? Che film vedi? Insomma: cosa ti piace? Anche che libri ami, se vuoi.

Caro Antonio,

siamo passati alle confidenze! Allora, letture e dischi, vediamo: ultimamente ho preso una sbandata per un genere di musicaccia che mi vergogno a citare, eccetto Nelly Furtado, in particolare *Whoa, Nelly!* (è un album di vent'anni fa, sono una che ha i suoi tempi). La terza traccia è pazzesca, ma tutto l'album merita. Ho apprezzato di recente uno splendido film, *Romanzo di una strage*, l'hai visto? Se non l'hai fatto te lo consiglio. Anche *Pasolini, un delitto italiano*, ma non è altrettanto bello. Non è che veda solo questo genere, diciamo, storico-documentaristico, ma mi sento abbastanza ignorante sul passato prossimo italiano e anche di qualche altra fetta di mondo, mio marito mi ha presa spesso in giro per questo. A volte qui è piú facile sapere tutto del Giappone, o dell'Australia, che delle vicende di casa nostra. Immagino che per i tedeschi sia lo stesso, e idem per gli inglesi, non so. Leggerò, appena lo trovo, il libretto di *Anna Bolena* di Gaetano Donizetti, l'opera che accompagna la narrazione in atti del film di Giordana. Vedremo.
(L'esperimento è riuscito?)

Nadia dilagava, non facevo in tempo a rispondere che già mi aveva scritto di nuovo, quasi non riuscisse a trattenersi.

Caro ragazzo ti scrivo
cosí mi distraggo un po'
e siccome sei molto curioso
piú forte ti scriverò.
Sai, anch'io continuo a ripensare alle cose che dici. E riflettevo sul fatto che c'è questo problema legato all'immaginazione: c'è chi ce l'ha e chi no, chi la usa e chi no. Io qui forse la uso poco, non per intuire volti, facce e fisionomie, come fai tu. Mi figuro altro, reti e filini che si annodano e fanno capriole da una parola all'altra. Questo sí.
Ti ho già detto qual è il mio colore preferito?
E, se no, sapresti indovinarlo?
Se non rispondi bene a queste ultime domande, smetto di scriverti!

Cara Nadia,
no, non me l'hai mai scritto. Ma secondo me è il rosso. Anzi, ne sono sicuro. Ci ho preso, vero?

Caro Antonio,
hai sbagliato. È l'arancione, però te la passo. Il tuo non te lo chiedo perché i colori preferiti dei maschi non significano niente, come sai.

Questa nuova Nadia, meno prudente e piú libera, mi piaceva un sacco. Eccola, pensavo, la ragazza di cui mi

ero perdutamente innamorato. Le sue parole emanavano
una luce nuova, eravamo passati dallo spettro dei colori
freddi a quello dei colori caldi.

Per quanto mi apparisse incredibile, ci stavo riuscendo. Il mio piano funzionava. E anche se in certi momenti
era come vedere una foto di mia moglie abbracciata a un
altro, non m'importava.

Mi bastava saperla cosí.

Fino a quando, un giorno, accadde ciò che mai mi sarei aspettato.

40.
Interno domestico

Nadia non amava farsi il bagno nella vasca. Pur adorando la nostra casa – era stata lei a vedere l'annuncio, a trascinarmi qui, con gli occhi di una studentessa promossa che ha l'intera estate davanti –, aveva maledetto a lungo il fatto di non avere piú un bagno con doccia, come quando abitava con Francesca. L'ipotesi di sostituire la vasca si era persa in fretta, travolta dal resto, ed era rimasta un rimpianto sbiadito, uguale a quello delle tre mensole in cucina che mi sarebbero tanto servite per i vasetti delle spezie, ma poi. Non le piaceva stare a mollo, non aveva in simpatia i bagnoschiuma e le essenze profumate, strofinava il corpo solo con sapone di Marsiglia perché, diceva, era l'unico detergente che lasciava alla pelle il suo odore. Sopra ogni cosa, odiava lavarsi i capelli, ancor piú da quando erano ricresciuti dopo il taglio radicale, trovandosi ora in quella mezza lunghezza priva di forma che richiedeva, comunque, un minimo di piega. Si costringeva a farlo quando doveva uscire, o per andare in redazione, ma era un supplizio che si sarebbe volentieri risparmiata.

Un giovedí tornai a casa di pomeriggio. Non accadeva di frequente, ma mi ero rovesciato addosso un paiolo di minestrone durante il servizio del pranzo, e dovevo per forza ripulirmi e cambiarmi prima di quello serale.

Già nel corridoio, venni investito da un profumo intenso. Forse lavanda, ma con una nota speziata di cannella.

Era cosí avvolgente che non mi riuscí di capirne subito la provenienza.

D'un tratto, compresi.

Dalla porta del bagno, aperta per metà, s'intravedeva la finestra spalancata.

Nadia era nella vasca, con gli occhi chiusi, i capelli immersi nell'acqua che le lambiva il mento, il viso incorniciato da una schiuma bianca e soffice. Attorno a lei, alcune candele viola tozze e larghe, appoggiate su piattini da caffè, le fiammelle mosse dal vento che entrava dalla finestra erano piccole lingue lucenti che oscillavano instancabili. Il sole e l'aria quasi estiva spingevano effluvi di lavanda nelle mie narici. Nel lavandino, tre strisce depilatorie bianche e verdi, non ne vedevo da non so quanto tempo. Una voce di donna, dallo stereo in camera, cantava *I watch her while she sleeps as well as when she speaks.*

Rimasi a guardare mia moglie per qualche secondo, senza parole, senza fiato. Le sue cosce pallide erano due isole che spuntavano dall'acqua, il rosa dei capezzoli s'intuiva in trasparenza fra gli squarci della schiuma. Era come affacciarsi su un interno domestico mai visto, ero un quindicenne che sbircia di nascosto una femmina negli spogliatoi.

Poi Nadia d'un tratto aprí gli occhi, li ruotò appena e si accorse di me.

– Che cazzo ci fai qui?! – urlò tirando la testa di scatto fuori dall'acqua, che tracimò sul pavimento.

– Veramente ci abito, – dissi.

– Intendevo che ci fai qui a quest'ora! – Si accorse del suo tono allarmistico, o cosí mi sembrò. – Mi hai spaventata a morte, madonna, – aggiustò il tiro.

– Mi dispiace, non volevo. È che mi sono rovesciato addosso un paiolo di roba, e mi devo lavare e cambiare per stasera.

Fissò l'enorme chiazza oleosa sui pantaloni, le mie scarpe umide.

– Le candele profumate sono una novità, – dissi. – E questa schiuma?

– Finisco subito, – disse lei, fingendo di non avere sentito. – Ora puoi uscire, per favore? – Mi parlava tenendo le mani incrociate sul davanti, a coprirsi il seno.

– Okay, – dissi. – Scusa.

Andai in camera a togliermi gli abiti sporchi, cercando la cesta della biancheria per gettarceli dentro. Nella stanza la luce era spenta e la tapparella ancora abbassata. La sollevai per metà, la canzone di Nadia diceva *Everyday I build on the image of that girl, the one who tied her hair up and said «let's go»*.

Fu solo allora che lo notai.

Al centro del letto, dopo quasi quindici anni che non lo vedevo, stava disteso il suo abito giallo da sposa.

41.
Vanità

Una volta, molti anni prima, Nadia mi aveva parlato della teoria di un famoso scrittore.

– In narrativa, – mi disse citandolo, – non esistono alla fine che due possibili trame: qualcuno parte per un viaggio, oppure uno straniero arriva in città. Se avessi potuto spiegare in che modo mi sentivo in quelle settimane, avrei detto che mi pareva di vivere le due trame nello stesso momento.

Era come se mia moglie stesse riemergendo da sé stessa, mentre io affondavo sempre piú nella pelle di un altro. Non solo: Nadia mostrava aspetti che erano addirittura inediti, quasi che Antonio fosse riuscito a far vibrare in lei corde che io non ero mai riuscito a raggiungere.

Nella mia testa, mia moglie era una ragazza che si preparava per un appuntamento, o che stava sperimentando di nuovo la gioia della pura vanità. Assistevo a quei piccoli miracoli con gratitudine e sconcerto insieme.

Nei giorni che seguirono, Nadia dedicò tre mattine di fila a rassettare la casa, ma in una maniera curiosa: puliva soprattutto quelle parti che non erano esposte agli sguardi, ovvero ciò che, normalmente, avrebbe considerato una perdita di tempo. Passò l'aspirapolvere negli angoli piú bui, dietro i tubi dei termosifoni, buttò il cartone e le vecchie riviste che giacevano in garage da anni, portandoli con l'auto stipata all'inverosimile fino all'ecocentro. Non

mi chiese alcun aiuto, quasi la faccenda riguardasse lei e
basta. L'apice del suo parossismo mi si svelò il martedí,
mentre si preparava per uscire e io ero da poco rientrato
dall'orto. Aprii il cassetto della credenza dove tenevo i
guanti da lavoro di scorta.

– Hai fatto cambiare la carta da parati nella vecchia credenza? Quand'è successo?

– Non l'ho fatta cambiare, l'ho sostituita io.

– Tu? Sul serio? – dissi meravigliato. – E perché?

– Nessun motivo, ne avevo voglia.

– Ma voglia cosí? – insistetti. – È successo qualcosa?

– No.

Il mattino dopo, trovai sul tavolo della cucina un maz-
zo di narcisi immersi in una brocca piena d'acqua, che la
sera prima non avevo notato. Mi fermai a lungo a guar-
darli, come fossero un messaggio in codice che diceva: eccomi, dovevi solo aver pazienza, visto? Sono ancora qui.

Ma quel messaggio, forse, non era per me.

42.
La domanda

Caro Antonio,

c'è di sicuro una ragione per la quale le persone fanno i lavori che fanno. Io, per esempio, non ho alcuna abilità manuale. Mi sarebbe sempre piaciuto saper costruire delle cose, cose concrete intendo, e invece fin da piccola avevo difficoltà a impilare perfino i mattoncini dei Lego. Ogni tanto mi sforzo, animata dal desiderio di superare i miei limiti. Ieri ho scoperto uno strappo lungo e obliquo nella carta decorata che riveste l'interno di un nostro vecchio mobile. Non l'ho scoperto, in realtà, il danno era presente da anni, mi è ricapitato davanti mentre spolveravo. Non so perché quel difetto mi sia apparso improvvisamente insopportabile. Ho svuotato il mobile e ho passato la giornata a ritagliare e incollare carta nuova sul fondo. Il risultato non mi dispiace, ma queste incursioni servono sempre a ricordarmi perché preferisco i ragionamenti, mettere in fila le parole, scovare storie possibili nei posti dove le persone non guardano più. Negli strappi dei vecchi rivestimenti.

Sai, ti ho detto che non voglio immaginarti, ma ho mentito. Non posso impedire ai miei occhi di vederti in quel che scrivi. Ho stampato tutte le tue lettere e le conservo nello stesso posto in cui custodisco le pagine del mio romanzo, per il terrore che la casella di posta elettronica possa un giorno cancellarle (che paura infantile, vero?) Ti leggo e ti rileggo, con l'attenzione di un'interprete, e mi sono resa conto di non averti mai rivolto una delle prime domande che qualunque ragazza ti farebbe. Forse per il timore di apparire banale. Forse perché non sono piú una ragazza, chissà.

Darian Leader diceva che «ti conosco» è la cosa peggiore che un uomo possa dire a una donna e la cosa migliore che una donna possa dire a un uomo. Perciò sento il dovere di rimediare. Facciamo un gioco, ripartiamo dai fondamentali. Ti va? Proprio come fossimo un ragazzo e una ragazza che provano a conoscersi, divisi da un tavolino e due bicchieri. Mi hai chiesto che lavoro faccio, ti ho risposto «scrivo», hai voluto sapere di piú.

Ora tocca a me.

Tu che fai, nella vita, a parte disperarti per gli amori perduti?

Un bacio,

Nadia

43.
La vita ancora da scrivere

Il contenuto della sua nuova lettera mi sorprese per due ragioni.

La prima, fu che realizzai che non avevo affatto idea di dove Nadia tenesse le pagine stampate del suo romanzo. In effetti, non lo avevo mai saputo, né glielo avevo mai chiesto. C'era un segreto che mia moglie custodiva in casa nostra, nel mio apparente disinteresse. Considerai la cosa dal suo punto di vista, immaginai quanto potesse farla sentire abbandonata. È che, nel tempo, avevo imparato a non fare piú domande sui progressi del manoscritto. Perché avevo l'impressione che parlarne fosse come frugare in una ferita. Le sue notti di scrittura erano spesso infruttuose, anche se non lo diceva, e questo la faceva sentire giudicata, in colpa, lenta e fuori tempo mentre faticava oltre misura, come una fondista che durante una gara si trascina due persone attaccate alle gambe. Le due persone eravamo noi.

La seconda ragione era che la domanda di Nadia, rivolta ad Antonio, funzionava perfettamente anche per me. Forse per quello, dato che non avevo pensato a un curriculum per il mio alter ego e non avevo immaginato un retroscena lavorativo – sciocco, mi dicevo, il «cosa fai» è una delle prime domande, stupido idiota che non sei altro –, fui costretto a ricorrere alla mia esperienza personale.

Volevo stupirla con qualcosa che conoscevo bene, apparire un uomo centrato e vitale, ma a parte la cucina e in-
gollare una pinta di doppio malto in cinque secondi netti
senza vomitare, c'era una sola materia in cui potevo risultare credibile senza sforzo.

Cara Nadia,
il mio lavoro è proprio guardare le cose, cercare di
capire come sono fatte, immaginarne altre. Sono un architetto.
Ricordi quando ti dissi che quella metafora di tuo
marito sull'amore, sul costruire, mi era risultata cosí
chiara? Lo era perché parla una lingua che conosco. E,
a pensarci, anche per me l'amore è realizzare insieme un
disegno. Di piú: quando guardo un progetto, vedo tutti i
disegni che sono serviti per arrivare fino a lí. Vedo tutte
le ore passate su un tavolo, o davanti a un monitor, vedo
tutti gli errori superati, intuisco gli ostacoli, le buche,
ogni centimetro di strada che è riuscito a distillarsi in
ciò che ho davanti agli occhi in quel momento. Mi accade anche quando guardo i muscoli di un atleta, le rughe
di una donna, quando ascolto la voce di un cantante o
le note di una chitarra, quando vedo un film con una
regia che riesce a portarmi via dalla maglia della trama
per raccontarmi una storia parallela che non è quella del
film. È quella di un ragazzo con la sua prima macchina
fotografica, poi una Super 8, i suoi pomeriggi passati
seduto in una stanza in penombra invece che a correre al sole, a fare cose incomprensibili mentre i genitori
gli dicono che dovrebbe uscire di piú. Ma quando esce
lo fa per osservare, cercando di non disturbare le vite
degli altri per poi creare la propria a posteriori, quella

che diventerà: una storia. Che sarà il primo passo per la seguente, e poi quella dopo ancora, fino a portarlo un giorno a realizzare la bellissima regia in cui, se saprai vederli, si potranno leggere tutti i passi e gli indizi, un percorso tracciato su una mappa.

Io, per esempio, ho sempre pensato che le architetture migliori fossero quelle in cui la forma ti parla della struttura, al punto che, pure se non sai nulla di ingegneria o di statica, guardandole riesci a intuire cosa sia a tenerle in piedi. Proprio come con le persone piú interessanti. È la stessa ragione per la quale adoro le rovine e amo i vecchi. Perché nel decadimento non ci può essere alcuna finzione. Quando tra le tegole rotte di un tetto riesci a intravedere la travatura sottostante, o l'intonaco che si scrosta svela la composizione dei muri, o nella luce di due occhi stanchi leggi un'intera vita, è lí che si annida la verità che m'interessa.

La sintesi artistica funziona allo stesso modo, penso, è un processo di decadimento continuo, un ritorno all'essenzialità della struttura. Tu leggi fumetti? Guarda l'ultimo Hugo Pratt, ci manca poco che disegni con le aste, proprio come fanno i bambini. È la fine che ritorna al principio, in un processo che al suo culmine porta alla sintesi definitiva, quella del foglio bianco. Che è la conclusione del percorso ma ne è anche l'inizio, è il silenzio dopo le parole e l'inchiostro nella penna l'attimo prima di posarsi sulla carta.

La vita ancora da scrivere contiene tutte le possibilità e le verità del mondo.

Si tratta solo di esserne all'altezza, lo sto scoprendo di nuovo grazie a te.

Un bacio,

Antonio

44.
Infiniti mondi

Caro Antonio,
   la tua domanda sui fumetti mi fa sorridere.
   Stanotte ho sognato Andrea Pazienza.
   Faccio questo sogno mica per caso, ma è sempre lo
stesso. Ieri m'è venuta voglia di rileggermi qualcosa di
suo e ho preso *Zanardi*. Cosí stanotte, anche se sarebbe piú corretto dire stamattina, ho sognato che ero in
campeggio dove c'era Paz, però non ero al mare come
al solito, ero in mezzo a un bosco. Forse i tuoi racconti
boschivi mi hanno influenzata, chissà. Lo cercavo, lo
cercavo fra le tende e le roulotte, ma niente. La gente
mi diceva: è appena stato qui, è passato ora, guarda è
là dietro a fumarsi una paglia, ma io non lo raggiungevo
mai. Poi mi sono fermata, seduta su un sasso, e subito
dopo mi sono svegliata e ho letto la tua mail.
   Leggerla è stato come un ritorno a casa.
   Perché se è vero che esistono tanti mondi quante sono le nostre scelte, in uno di quelli Milo svolge il lavoro di architetto, animato dalla stessa passione con cui
ne parli tu.
   La capacità visionaria di immaginare luoghi e fun-
zioni era per lui ben piú di una vocazione. Nel suo lavoro era un autentico talento. Solo, avrebbe dovuto
avere pazienza, stare a bottega in uno studio per qualche anno, imparare forse un po' della scaltrezza che

gli è sempre mancata per affrontare la professione, oltre che tutto il resto. Era sottopagato, certo, però faceva quel che amava e ciò in cui sapeva distinguersi, investendo su quel che sarebbe arrivato. Del resto pro-gettare significa proprio «gettare in avanti», è il paradigma della scommessa. Sono certa che tu capisca che intendo.

«Fare architettura è lavorare con la forma, compresa quella che vogliamo dare a noi stessi», amava invece ripetermi, ed ecco perché la sua incapacità di accettare compromessi lo ha portato al risultato peggiore per il suo talento: ripudiarlo, insieme alla coercizione che vedeva davanti a sé. Troppi rischi, troppe incertezze, soprattutto quando gli arrivò la proposta per uno stage di due anni all'estero, presso lo studio di un architetto di fama. Andare via, lontano, altrove, non era cosa per lui. Restare è una scelta cosí radicale e inconsueta che, in principio, mi portò a stimarlo ancora di piú.

Dopo la diserzione, si mise a fare il primo mestiere che trovò: il cuoco a Verona, nel piccolo locale di un amico. Il pretesto fu la necessità di provvedere a noi due, rendersi piú responsabile, le solite cose. Ma, negli anni, fu chiaro che aveva solo bisogno di una scusa per abdicare al proprio sogno. La trovò in una cucina di dieci metri quadrati. Doveva essere una soluzione temporanea: è lí da tredici anni.

Sentirlo parlare di architettura – ormai non capita piú – era proprio come leggere te. Lo stesso fuoco, che riconosco perché so cos'è, anche se lo vivo in una disciplina differente. Quel fuoco che lui ha lasciato estinguere, solo per evitare la sofferenza dell'attesa o l'ombra del possibile fallimento.

Ma io conosco la verità.

È quella verità a non darmi pace, è questa consapevolezza ad avermi portata a odiare perfino l'odore di cucina che gli resta addosso quando torna a casa. L'olezzo di griglia, il puzzo del fritto, i fumi delle cotture che gli impregnano gli abiti, ogni sera mi ricordano ciò che Milo è diventato, il precipizio in cui è caduto per avere rinunciato al suo futuro, senza volersi mettere alla prova. È l'odore della sua vigliaccheria, di chi è fuggito dalle proprie ambizioni, quello di chi teme progetti e desideri tenendosene al riparo. È l'odore della mia stessa viltà, perché io gliel'ho permesso. Lo odio per amore, come un astronomo a cui manca la faccia nascosta della Luna.

Se Milo fosse convinto e felice io sarei con lui, invece ancora oggi mi capita di vedere affiorare nei suoi occhi il volto del rimpianto. E quel volto mi somiglia, perché una delle ragioni per cui Milo non accettò di lasciare Verona fu la nostra storia nascente. All'inizio, cercai addirittura di incentivarlo nella cucina, nel tentativo di offrirgli compensazione, un indennizzo possibile per essersi privato di un sogno. Ma, diceva Capote, un uomo che non sogna è come un uomo che non suda: accumula in sé riserve di veleno. E se poche dosi di veleno al giorno, alla lunga, rendono te immune, possono lentamente intossicare chi ti sta vicino.

Il risultato è un lavoro verso il quale mostra una passione che appare posticcia, e che lo vedrà rimanere per chissà quanti altri anni nello stesso locale, in parte per lealtà verso il suo amico Carlo. Chiuso in quella piccola cucina, lontano da sé stesso, a ripetere infinite volte gli stessi gesti.

Ma il fatto che lui muova ortaggi o alimenti su un tavolo mi permette di continuare a muovere i miei sogni su un foglio. Ed è triste la consapevolezza che il completamento del romanzo al quale sto lavorando da anni, in fondo, si regge anche sulla stolida affidabilità della professione di Milo.

Se me ne vergogno? Sí, moltissimo, ma essere dominati da un'ossessione è una schiavitú, e la mia è da sempre la scrittura, non potrei mai riuscire a convertirla in qualcosa che ci somigli e basta. Perché io sono come te, amo l'attesa della creazione, la pazienza necessaria per raggiungere un obiettivo non mi spaventa.

Il dono piú grande che mi ha fatto la scrittura è proprio questo, stare ferma e aspettare.

Scrivere un romanzo è come l'amore: l'ispirazione può avere la forma di una folgorazione iniziale, ma poi non procede per scatti brucianti, piuttosto si muove per passi lenti, sentieri tortuosi, e richiede una lunga, difficile fedeltà, mentre la storia man mano si viene formando.

È la stessa fedeltà che mi lega a mio marito, nonostante tutto.

È la stessa fedeltà che ora mi lega a questi nostri scambi, con la curiosità di chi intuisce un racconto nuovo e bellissimo.

Ciò per cui io ringrazio di aver trovato te.

Un bacio,

Nadia

45.
Il futuro è un tempo presente

Se fate i bravi, vi leggo una favola, disse mio padre a me e a mio fratello la sera prima di andarsene.

L'indomani, dopo che la donna che aveva vissuto con lui per undici anni era uscita per accompagnarci a scuola, infilò alcune cose in una valigia e scivolò via di casa verso una vita nuova.

Papà era un impiegato delle ferrovie ma avrebbe voluto fare il musicista, e fu forse questo che mamma non gli perdonò: piú del tradimento, piú dell'infatuazione per una cantante con quasi la metà dei suoi anni, mia madre, sua moglie, non gli perdonò l'essersi licenziato. L'aver abbandonato per sempre un lavoro sicuro e redditizio, la certezza di uno stipendio, per andarsene non si sa dove, a inseguire chissà che.

È curioso che la sua scelta non mi abbia impedito di restare aperto al nuovo, all'imprevisto, ciò che lui aveva fatto subire alla nostra famiglia come un contraccolpo fatale. Anzi, avevo ereditato da lui una sana diffidenza nell'investire sul futuro, e una forte attitudine a onorare il presente con le sue sorprese, compresa l'irruzione nella mia vita di una ragazza destinata a cambiare tutto.

Ma, al contempo, sentii presto la necessità di rendere il mio presente stabile, solido, di dargli una forma compiuta e affidabile. Data la mia naturale propensione per il disegno, l'architettura apparve una scelta ovvia. Progettare edifici era tutto ciò che potevo ricondurre alla durevolezza e alla stanzialità: la casa, le mura, il radicamento, le fondamenta. L'attitudine a modificare l'ambiente circostante invece che conformarsi a esso. L'architettura è una forma di concretezza che si fonda sullo stare.

Restare è il contrario di arrendersi, è una forma di adattamento che richiede fiducia in quel che c'è, la volontà di agire sul reale, di far crescere cose dove prima non c'era niente, piuttosto che andarsene lontano per inseguire una speranza, o una promessa di gloria in uno dei piú rinomati studi di progettazione del mondo.

Ecco spiegato il mio interesse per il cibo, accolto lungo la via. La cura ossessiva per l'orto, quella per le materie prime e la loro trasformazione, l'amore per la semplicità dei sapori che combinavo da cuciniere al servizio di una tradizione, senza l'egocentrica innovazione a tutti i costi degli chef. Il non aver paura di fare un lavoro apparentemente umile, che richiede invece un grande rispetto e pochi principî non negoziabili.

È vero, la cucina non era nata come la passione della vita, non era il mio sogno di bambino e doveva essere una soluzione temporanea, ma mi accorsi presto che non c'è nulla di male a investire su un lavoro che è *solo* un lavoro, soprattutto se può essere uno strumento che serve a far crescere altro: una famiglia. Dei figli, anche se alla fine non erano arrivati e ci era andato bene lo stesso. Una relazione che si desidera sopra ogni cosa.

Il lavoro non è la pianta, è il fertilizzante. E il fertilizzante spesso puzza.

Era strano, perché per la seconda metà della mia vita mi ero considerato Will Hunting quando manda a fare in culo tutte le aspettative degli altri pur di raggiungere la sua ragazza e ora, attraverso le parole di Nadia, mi toccava considerare la mia, le nostre vite, da un punto di vista alternativo: io ero l'anonimo grigliatore di carni che aveva abbandonato la propria identità, lei l'anima solitaria e orgogliosa che non si era svenduta alla vita. Da un lato c'erano Nadia e la purezza del suo desiderio, che la portava lontano e la spingeva in avanti, costantemente in un altrove. Irraggiungibile. Dall'altro, la speculare resa del mio non desiderare, togliersi di mezzo, mettersi da parte.

Da un lato l'ossessione, dall'altro la rinuncia.

Era una bella storia.

Solo che non era la mia.

46.
Scogli

Lessi la sua mail mentre ero nella cantina dell'osteria a cercare una bottiglia di Valpolicella. Fu come se le acque della nostra nuova intimità si fossero ritirate, e avessero rivelato improvvisamente uno scoglio. Mi sentivo un confidente al quale l'amica del cuore aveva appena vomitato addosso tutta l'acredine accumulata verso il coniuge, in anni di matrimonio. Con la differenza che, qui, il coniuge ero io.

Chiusi il telefono e lanciai la bottiglia contro le scale di pietra scura, piú forte che potevo, nel tentativo di allontanare l'offesa che sentivo ribollire, ma lo schianto del vetro che esplodeva in mille pezzi mi spinse ancor piú dentro la verità.

– Che è successo?! – urlò Carlo dalla sala al piano di sopra.

Salii le scale di corsa, un paio di grossi cocci mi infilzarono le suole di gomma, uscii infuriato lasciando impronte di vino sul pavimento. Saltai sulla Vespa, mi allontanai da via Sottoriva piú veloce che potevo, percorsi Ponte Pietra ignorando il divieto e cominciai ad avvitarmi su per la collina delle Torricelle, per poi scavallare e buttarmi in discesa a tutta come un pazzo. Sbucai in Borgo Venezia, e senza accorgermene attraversai il vecchio quartiere di Nadia. Il solo intuire, in lontananza, il suo antico appartamento di ragazza, permise ai ricordi di assalirmi. Dov'era finita la giovane donna che credeva cosí tanto in me? Quella per cui impanavo cotolette a lume di candela? Tutta la gioia che quelle pareti avevano contenuto? Imboccai la strada per Montorio e cominciai a salire di nuovo, lungo la statale, poi verso Pigozzo, poi a Trezzolano, sempre piú su. Volevo solo andare, anche se non sapevo dove.

Pensai che, forse, sarei potuto passare da Marco, parlargli di tutto questo per la prima volta. Magari mi avrebbe fatto bene, perché visto che a lui Nadia piaceva, proprio perché gli piaceva, ero certo che mi avrebbe offerto un parere equilibrato. Ma mio fratello era partito per la Francia il giorno prima.

Sarei voluto passare da mia madre, sfogarmi per essere confortato, nel suo caso col rischio di sentirmi dire che su tua moglie, vedi?, avevo sempre avuto ragione. Come hai potuto pensare che una che non si prende cura di sé potesse averne di te? Una che se ne va in giro conciata in quel modo?

Sarei voluto andare da Nadia, precipitarmi a casa, parlarle di persona per dirle che, certo, ci possono essere decisioni in grado di farci apparire, agli occhi degli altri, quasi estranei a noi stessi, ma cambiare la traiettoria della nostra vita significa proprio scegliere chi vogliamo essere. Scrivere la nostra storia.

Naturalmente, non potevo farlo.

Ma, piú di tutti, avrei voluto parlare con mio padre, se avessi saputo dov'era.

Chiedergli cosa succede quando ti accorgi che per chi ami sei diventato uno sconfitto, solo a causa di una tua scelta. L'uomo che se n'era andato da me, dalla sua famiglia, il simbolo stesso della lontananza, divenne in un istante l'individuo piú vicino che avessi mai avuto.

Mia moglie si vergognava di me, proprio come mia madre si era vergognata di lui.

Mia madre perché era partito.

Nadia, perché ero rimasto.

Ma nello sconforto che sentivo, nella disperazione che provavo per il resoconto cosí crudele e affilato di mia moglie, c'era un'altra immagine che cominciava ad affiorare. Una storia che forse solo io avevo, al momento, gli elementi per intravedere.

Io e Nadia eravamo accomunati dal fatto di essere stati entrambi spietati con le nostre scelte. Nessuno dei due era andato dove non voleva andare. Ciascuno dei due aveva pagato un prezzo.

Eravamo piú simili di quanto non sembrassimo, con buona pace della sua apologia delle differenze che mi aveva cosí ben descritto in una delle sue lettere iniziali.

Questa consapevolezza mi ricolmò di una fiducia nuova, quasi religiosa, fu una conferma che forse non era troppo tardi per iniziare a dare corso a ciò che sarebbe dovuto cominciare una mezza vita prima. Sarebbe bastato sollevare il velo che ci aveva coperti.

Fu in quel momento che la Vespa sussultò, emise un borbottio malefico, infine si fermò di colpo.

Guardai il cruscotto. Ero rimasto senza benzina.

Mi misi a ridere piano, poi sempre piú forte, come non mi accadeva da tanto.

Lasciai la Vespa a bordo strada, mi accesi l'unica sigaretta che avevo, mi sedetti sull'erba e iniziai a scrivere.

Era tempo che Cristiano si rendesse utile a Cyrano.

Cara Nadia,

Agnese non mi ha mai risposto, ma ieri ha finalmente mandato un tizio biondo a prendere gli scatoloni.

«Sono Aldo, – mi ha detto, – faccio in fretta».

È stato di parola.

Non sono rimaste che poche cose, poco piú di ciò che mi serve per l'uso quotidiano. Mi sono reso conto che quasi tutto, qui, era suo. Non mi sono mai accorto di quanto spazio avesse occupato nella mia vita, e credo che questa percezione di vuoto improvviso abbia molto a che fare col disorientamento che sentivo. Qualcuno forse la definirebbe una liberazione, per me è qualcosa che somiglia all'agorafobia.

Riempire gli spazi è sempre il problema. Lo è nella vita, nell'architettura, immagino che nella scrittura valga lo stesso.

Ti ho già detto che amo la tua intransigenza, ma forse quel che amo ancora di piú è la tua capacità di restare fedele a ciò che hai scelto. Compresa questa nostra stanza cosí speciale.

Sai, continuo a pensare a quanto mi hai scritto di tuo marito. Mi è venuto in mente che, ben prima dell'invenzione della scrittura, gli uomini si radunavano attorno a un fuoco per raccontarsi storie. L'atto di cucinare e quello di raccontare avevano la funzione di avvicinare gli esseri umani, con l'obiettivo di trasmettere tradizioni, esperienze, sensazioni. Vite. Anche il cibo è narrazione, anche il cibo è un modo per comporre forme, però per farlo deve prima demolirle, scomporre le materie prime. Cucinare significa far perdere la forma originaria alle cose in vista di una configurazione nuova. Proprio come accade in una storia d'amore, in fondo.

Io credo che tuo marito abbia fatto una scelta meno palese, rispetto a quella che ci si poteva aspettare da lui, ma a suo modo coerente, se ci pensi. Può darsi che ciò che vedi nei suoi occhi non sia solo il volto del rimpianto, ma anche quello della solitudine di chi vive da straniero, a causa delle proprie decisioni. I miei ultimi tre anni con Agnese sono stati tutti un sentirsi cosí: forse ancora amato, di certo non piú visto. Le persone sono superfici le une per le altre: l'amore le rende trasparenti, il non amore le rende opache.

È curioso come invece noi, del tutto sconosciuti, occupiamo questo spazio bianco solo con le nostre frasi, riuscendo a vederci pur non essendoci visti mai. Forse il segreto è che non stiamo andando in nessun posto, che non c'è alcun progetto ad attenderci. Non abbiamo ammaestramenti da elargire o compiti da assolvere, non stiamo cercando di piacerci per forza. Le nostre parole non hanno altro scopo se non dire la verità.

Quando mi hai scritto che sei di Verona ho pensato che, pur essendo la città dell'amore, Verona è anche la città in cui l'amore è morto.

Romeo che si uccide per la morte apparente di Giulietta, Giulietta che si toglie la vita per la morte vera di Romeo.

Se solo Romeo avesse aspettato pochi secondi in piú.
Se solo Giulietta si fosse svegliata un attimo prima.
Immagino che questo ci dica molto sulla capacità di saper attendere, ma anche su quella di non fermarsi mai alle apparenze.
Un bacio,

                                                        Antonio

48.

Elogio della lamentazione amorosa

Caro Antonio,

senza saperlo metti allo scoperto la mia ingenuità. È un'esperienza che mi mancava, è un'altra cosa che mi piace. Come mi piace un uomo che cita Shakespeare, dimostrando con due sole frasi di averlo compreso a fondo. È cosí vero quel che scrivi sull'attesa, ma anche sull'apparenza, che non a caso è diversa da un segno. E da troppo tempo attendo che Milo me ne mandi uno.

È buffo, non trovi? Ora che sento di potermi fidare di te, le parti si sono invertite. Sono io a sottoporti le mie lamentazioni amorose. Confido che saprai accoglierle. Del resto, quante altre volte ti capiterà di trovarti di fronte a una donna che sta per dirti esattamente quel che vuole da un uomo?

Le superfici mi hanno sempre attratta poco, soprattutto quelle ben lucidate. Forse perché non mi interessa essere sedotta, e preferirei che la persona che amo mi raccontasse ogni giorno chi è davvero. E hai ragione, la scelta di Milo non è stata scontata. Mi tormenta il fatto che la sua possa non essere stata una scelta convinta, ma piú un volersi sottrarre al futuro cui si sentiva costretto. Lo posso capire, sai? Però mi aspettavo che ne sarebbe conseguito un inferno appassionato, invece Milo ha costruito poco per volta il suo paradiso inerte.

Io non desidero un uomo che esista per me, Antonio, ma uno che esista con me. La meraviglia di una preposizione che può cambiare un intero orizzonte. Non sopporto gli azionisti della coppia, quelli che calcolano il loro contributo per timore di disturbare, che stanno attenti agli equilibri, che analizzano i comportamenti opportuni e inibiscono le spontaneità.

Gli ultimi, fra me e Milo, sono stati anni di contatti minimi, di frasi convenzionali, strategie per tenersi a una distanza utile, per evitare un aperto conflitto, una convivenza fatta di giorni tutti uguali che sono sembrati, l'uno dopo l'altro, la stessa deludente canzone.

Immagino che capiti a molti.

E adesso mi ritrovo, a quarantasei anni, a desiderare che mio marito la smetta di guardarmi con quegli occhi sognanti che, secondo lui, dovrebbero farmi sentire una specie di principessa. Mentre fanno sembrare lui uno che l'amore lo implora, o che lo agogna come un rifugio.

Vorrei che uscisse allo scoperto, che mi facesse vedere, smettendola di nascondersi dietro la facciata dell'uomo paziente e rispettoso.

Forse anche lui sta aspettando un segno da me, ne avrebbe pieno diritto. Ma il mio trasporto nei suoi confronti, va detto, si è annichilito nel momento in cui, qualche mese fa, l'ho sorpreso a masturbarsi come un ragazzino su delle mie vecchie foto. Da un certo punto di vista ci sarebbe quasi di che esser compiaciute, vero? Non fosse che nel suo studio, quella sera, non ho avuto la prova dell'esclusiva del suo desiderio, ma l'evidenza di un uomo che non ha nemmeno il coraggio di manifestare i propri bisogni, e che preferisce rifugiarsi nella nostalgia. La maggior parte del tempo la passa a rimirare le cose che sono state, rimpiangendole con una malinconia che si accresce con il trascorrere degli anni. Come se non riuscisse a lasciar andare. Quasi fosse stato derubato di qualcosa che gli spetta. Ma il passato di una coppia non è una condizione arcadica pronta per essere recuperata, spolverata e riportata alla sua originaria bellezza ogni volta che lo si vuole, per poi essere riposta in un cassetto.

Preferirei che una sera, di ritorno dal lavoro, assecondasse la sua voglia, mi prendesse senza troppe spiegazioni o reverenze, mi tirasse verso di sé senza dire niente. Che provasse a scalfire questa patina di incertezza che ci divide, a darmi reazioni vere.

Odio le sue carezze indecise e apparentemente casuali, il silenzio fra i nostri corpi che cela la speranza di un'iniziativa mia, il suo terrore nel gestire un eventuale rifiuto. Io non ho voglia di sentirmi sempre romantica, non ho voglia di essere sempre guardata con quegli occhi incantati, sono stanca che sia cosí arrendevole, cosí buono oppure cosí orgoglioso, alla somma dei fatti non c'è differenza.

Non ho mai preteso che lui fosse l'eroe capace di guarire le mie ferite, e l'eccesso di riguardo mi soffoca quando sconfina nella devozione. Non ho bisogno di mansuetudine, ho necessità di reazioni sanguigne, umane, incazzate perfino. Quanta fatica inutile spesa a trattenere, a trattenersi, a interpretare. Non la voglio, tutta questa tolleranza, questa resa incondizionata di fronte a quel che è, mentre dentro ribolle il fuoco. Perché l'amore non può essere la falsificazione di qualcosa, e chi si pone come unico proposito quello di coprire vuoti, riempire spazi e sanare brezze di tristezza finisce per frammentarsi lentamente.

So di apparire un'ingrata.

È che odio la sensazione di essere accudita, quasi fossi una specie di malato terminale. Non voglio che mio marito mi guardi dormire, non desidero i suoi occhi carichi di rimpianto perché non sono piú la ragazza che aveva conosciuto. Non sopporto il mio, di rimpianto, per il figlio che non gli ho mai dato.

Il mio accanirmi sulla scrittura dipende anche da questo: prima era tutto ciò che volevo, ora è tutto ciò che mi è rimasto. La sola possibilità di concepire, l'unico modo di lasciare una traccia. Non ci saranno altre ricompense fuori da questa.

Molte volte penso che non finirò mai la storia che sto scrivendo, e finché non l'avrò finita non sarò davvero libera. Mi succede principalmente di notte, mentre Milo è a letto, il cane del vicino sta in silenzio e dorme nel giardino della casa accanto, e io mi sento sopraffatta da una solitudine senza scampo. Poi penso che mio marito è comunque lí, che mi basterà salire le scale per vederlo e sentire il suo respiro, e cosí riprendo il coraggio di continuare a scavare nella terra arida di un'ispirazione ormai disseccata. Milo è la mia forza e la mia stabilità, anche quando non sopporto il rimorso per l'uomo che forse non è mai diventato e la consapevolezza, che mi spinge a tratti a detestarlo, che se mi lasciasse soffocherei nel panico.

Conosco la domanda: perché non gliel'hai mai detto, perché non ne parlate?

Perché le parole sono azioni e fanno succedere le cose. Perché dire a una persona che non ci sembra autentica cortocircuita la sua verità, portandola a una paralisi che non renderà mai piú autentico niente. E perché le parole, una volta pronunciate, esistono.

Fino a quando il mio risentimento rimarrà dentro di me, senza venire nominato, potrò vivere nell'illusione che sia qualcosa che solo io conosco, e che forse riuscirò a sconfiggere. Se espresso a voce alta diventerebbe irrevocabile, lo conoscerebbe pure Milo, e questo no, lui non lo merita. Però ammetto che le tue lettere, in questi mesi, hanno reso difficile il mio autocontrollo. Forse, dopotutto, vorrei solo potermi allontanare, anche per poco, per non sentire piú il peso dei nostri reciproci desideri che ci si infrangono addosso. Vorrei smetterla con i suoi «sarà», con i miei «adesso mi passa», con i suoi «non è niente», con i miei «sono solo stanca». Però ci siamo fatti una promessa, molti anni fa, in cui entrambi crediamo. Il patto dice che il nostro compito è esserci, perché se l'esperimento non esiste senza l'osservatore, anche l'osservatore non è niente senza l'esperimento. Eppure sto pensando, in questi ultimi giorni, che forse dovremmo riscoprire il coraggio di non voler dimostrare, la volontà di non misurare, la forza di rinunciare ai risultati. La libertà di ignorare la conclusione del racconto.

Solo cosí lo stupore del desiderio potrà restare intatto per sempre.

Un po' come in questa nostra corrispondenza che mi porta in un altro spazio, in un altro tempo, nel posto dove tutto deve ancora succedere, nel luogo dove le cose accadono di nuovo per la prima volta.

Sei un bel regalo.

Ti bacio,

Nadia

49.
In riva al mare

Non voleva dirmelo, me lo aveva appena detto.

Ricevetti la mail a notte fonda, me ne accorsi perché avevo lasciato il telefono acceso sul comodino, che all'arrivo del messaggio rischiarò la stanza. Nadia a letto non c'era, da sotto la porta della camera, attraverso il corridoio, filtrava la luce accesa del soggiorno. Mi aveva scritto la sua lettera a tre metri in linea d'aria da me.

La lessi sepolto sotto le lenzuola, e la vernice della mia ritrovata fiducia si sfaldò in un istante.

Erano, le sue, parole troppo dritte e affilate per non chiedermi se, anche solo in parte, potesse avere ragione.

Era possibile che, nel tentativo di avvicinarmi a lei, io mi fossi perduto? Che il mio amore avesse inghiottito negli anni, come una nebbia, una parte di me che ero io a non voler vedere piú?

Forse era vero: nel tentativo di non ferirla, fin dall'inizio, non avevo fatto altro che nascondermi.

Nadia era una specie di monolite inamovibile nelle sue convinzioni, una donna eccentrica ma di trionfali sicurezze, tormentata dalla dimostrazione del suo valore – un valore che fosse riconoscibile, riconosciuto, piú di un decennio passato a cesellare un romanzo lo testimoniava meglio di tutto – e la amavo anche per questo. Ma ero sempre io a ruotarle attorno, decidendo quali comportamenti adottare per non scalfire la sua lucente integrità e non intralciare il suo percorso di inesausta coerenza. Ogni tanto, il mio lato piú egoista riusciva a giungere in superficie, filtrando come la luce dai buchi di una tapparella. Ogni volta, mi convincevo a ucciderlo senza pietà. Se il mio lavoro era modificare le cose, in amore modificavo me stesso. Non era tanto un adeguarsi, era piú un disporsi in favore di. Era un offrirsi al mondo, era la convinzione che, se ami qualcuno, l'atto piú vero che puoi compiere è quello di arrenderti all'altro. Cercare di proteggerlo, perfino da te stesso.

Amare, per me, era fare spazio, ma in quello spazio io vivevo in incognito.

In fondo, non era la stessa cosa che facevo scrivendole? Per rivelarle le mie paure, avevo scelto un'altra maschera. Da quando ci conoscevamo, tutti i miei sforzi erano stati delle cortine fumogene per cercare di depistarla da me: perché non volevo farle del male, nemmeno inavvertitamente, perché volevo metterla nella condizione di non dover mai cambiare nulla della sua vita. Non a causa mia, almeno. Ma lei, nonostante questo, era sempre riuscita a vedermi.

Mi aveva visto, nascosto dietro i miei diecimila muri, mi aveva atteso ogni giorno, come la moglie di un pescatore con gli occhi fissi sull'orizzonte, mentre spera che il mare le restituisca il suo uomo. Aveva aspettato che diventassi ciò che aveva intuito, quel che forse ero, aveva atteso con pazienza che l'avessi vinta sulla corazza inutile che mi ero dato per difendermi dal confronto con gli altri e dalle conseguenze dei miei desideri. E io, tutto quel che ero riuscito a fare, era stato seppellire i miei bisogni pensando di farla felice, oscillando fra il trattarla da bambina fragile, e il comportarmi da bambino diligente per compiacere la mamma. Di piú: gliene avevo attribuito la responsabilità.

Proprio io, che le scrivevo di superfici e di sguardi, d'un tratto compresi che le avevo mentito. Nonostante la nostra narrazione di predestinati, che tanto mi piaceva, e sebbene continuassi a cianciare di verità, dovetti concludere che il nostro stare insieme era costruito su un'invenzione di cui non ero che la quinta sullo sfondo.

E che lei non mi aveva fatto niente, mai. Che mi ero ucciso da solo, lentamente.

Ma avevo bisogno di un colpevole, vostro onore.

E non potevo essere io.

Non volevo essere io.

Farina

50.

Torna da me

Ero partito con l'intenzione di essere io a guidarla di nuovo verso di me, invece era mia moglie che mi stava orientando verso di lei, indicandomi poco per volta la strada. Era come se una parte di Nadia, nelle sue ultime lettere, mi si rivolgesse senza intermediari, e mi stesse dando suggerimenti per farci funzionare ancora. Le sue frasi sul riapparire, i discorsi sulle maschere, le considerazioni sullo smarrirsi, sulla fedeltà, l'insistenza sulle mie mancanze e sui suoi sensi di colpa, consegnate con fiducia ad Antonio, componevano nella mia testa una scritta cubitale che diceva: «Torna da me». Naturalmente era solo un'impressione. Ma le impressioni fanno presa quando trovano un'aspirazione disposta ad accoglierle.

Essere al corrente dei suoi desideri segreti era un vantaggio in cui avevo sperato dall'inizio. Quel che ora poteva permettermi, nella confusione che provavo, di valutare le mie mosse con maggiore sicurezza.

Quel giorno, era un caldo giovedí, mentre ero al mercato in attesa che il verduraio mi trovasse le cipolle bianche di Chioggia che dicevo io, quelle per le sarde in saor, prelevai da una cassetta un pomodoro rossissimo e perfettamente rotondo. Lo addentai sovrappensiero, non sapeva di niente.

La delusione fu una frustata. Il fatto che il gusto sulla mia lingua non corrispondesse alla promessa della facciata mi precipitò in un inatteso turbamento. Guardavo il pomodoro senza profumo nella mia mano, un imbroglio lucidato con cura, il succo che gocciolava fra le mie dita era un sangue annacquato e senza storia. Lessi l'etichetta sulla cassa, erano pomodori olandesi. Perché li vendevano? Perché le persone compravano ortaggi privi di sapore, attirate solo dalla perfetta lucentezza dell'involucro? Perché accogliamo la rassicurazione della forma, ma ci siamo disabituati all'identità del gusto?

Fu un risveglio da un lungo sonno, che si aggiunse alla consapevolezza della notte prima.

Quel pomodoro morsicato nella mia mano ero io.

Ero un servo pusillanime che aveva edulcorato il proprio sapore per renderlo meno aggressivo, che aveva sotterrato talenti e desideri per paura di perdere l'amore, ero un pomodoro olandese senza gusto cresciuto come un intruso sulla pianta di un piennolo del Vesuvio.

Quella mattina al mercato capii che ero stanco di vivere in difesa, e compresi che era giunta, ormai, l'ora di mettere sul piatto l'intera posta e andare a vedere.

Arrivai da Carlo e gli dissi che la sera non sarei venuto al lavoro. Si risentí, mentre imprecava alle mie spalle mi accorsi che non me ne importava niente.

Il pomeriggio uscii di casa lo stesso, volevo che sembrasse un qualunque giorno lavorativo.

Rientrai invece a sorpresa, poco dopo l'ora di cena.

Trovai Nadia in cucina.

Era in piedi accanto al fornello con un bicchiere di vino in mano, il portatile sul tavolo, accanto a quello pochi fogli sottolineati a matita. Quando mi vide, un'espressione allarmata le colorò il viso, quasi l'avessi colta in uno stato di flagranza.

– Ciao, – dissi.

– C-ciao, – disse lei.

– C'era poca gente, abbiamo finito prima.

Mi guardò sospettosa, con la testa inclinata, gli occhiali appoggiati sul naso e i capelli raccolti dietro la nuca, non capivo se in attesa di una mia iniziativa o di un ulteriore chiarimento o che. In sottofondo, il ronzio elettrico del frigo era un pezzo di John Cage. Senza preavviso le toccai una spalla, il suo corpo ebbe un fremito di stupore e istintiva esitazione, il bicchiere le sgusciò dalla mano e si frantumò sul pavimento. Avanzai con un vero sforzo di volontà, facendo scricchiolare i cocci con le scarpe, la presi per un gomito, la tirai delicatamente verso di me, mi fissò sbalordita, quasi che d'un tratto, sotto i suoi piedi, si fosse aperto un precipizio senza fondo. Mi si aggrappò alla maglia con entrambe le mani, io avvicinai la mia testa alla sua, lei aprí la bocca come per prendere respiro, vidi i suoi occhi chiudersi all'ultimo.

Baciai mia moglie in cucina, premendola forte contro di me. La baciai con i denti e la lingua e il naso e la pancia fino giú alle ginocchia, i sensi erano porte che si spalancavano. Mi sembrava che l'aderenza dei nostri corpi stesse sciogliendo tutte le tensioni e le resistenze che avevamo dentro. Le tenevo la faccia stretta per paura che potesse scivolarmi via, nella sua bocca percepivo il sapore amaro del Lexotan mischiato a una venatura dolciastra di Chardonnay e crackers al formaggio. Senza staccarmi dalle sue labbra le feci scorrere un braccio dietro la schiena, l'altro sotto le gambe, poi la sollevai d'un colpo. Quando i suoi piedi si alzarono da terra emise un piccolo sospiro e mi si aggrappò ancora piú forte, conficcandomi le unghie nella nuca. Continuammo a baciarci mentre mi avvicinavo al corridoio stringendomela addosso, a passi lenti, senza agitazione, la camera che davanti a noi ci attendeva come fosse terraferma, casa, il mondo, e tutto il resto del mon-

do un'isola sulla quale eravamo naufragati in un momento di distrazione.

La adagiai sul letto, la stanza era illuminata appena dagli ultimi bagliori di un cielo viola, mi inginocchiai su di
lei, i suoi capelli a raggiera sul cuscino erano come nelle
vecchie foto della nostra prima vacanza, solo piú corti e
di colore diverso. Ci baciammo ancora, poi cominciammo
a leccarci dal collo alle orecchie per tornare alle labbra, la
sua pelle era umida e con un sentore di sapone. Quando
mi abbassai per sfilarle i pantaloni della tuta insieme agli
slip, lei si inarcò per facilitarmi il compito, scoprendo il
suo ombelico piccolo e le ossa del bacino appena sporgenti.
Mentre le mie dita si posavano sul suo culo ebbi un fremito,
le sue cosce fredde mi commuovevano come una vecchia
casa abbandonata, mi presi tutto il tempo per percorrerle,
senza avidità, accarezzandole con lentezza. Erano lisce.
Sentivo la stanza attorno a noi, i nostri respiri, i suoi seni
stanchi schiacciati contro il mio torace, il suo cuore bat-
tere sul mio. Eravamo ancora vivi, lo erano le mie braccia
grosse e i suoi fianchi teneri e la mia lingua dura e tutto il
corpo di Nadia che mi assecondava docile e vibrava nelle
mie mani grate. Pensavo alla distanza che c'era stata fra
noi, a come si fosse annullata di colpo. È mia moglie, continuavo a ripetermi. Era sempre stato tutto qui.

Poi entrai. Rimasi cosí per un po', senza spingere, sentivo il piacere salire irrefrenabile, troppo presto. Non volevo che finisse in fretta, cominciai a muovermi circolare
e lento, senza il furore stolto della giovinezza, recuperai
il controllo. La girai, lei si lasciò rovesciare come niente
e io mi persi nella sua schiena bianca, lucida di sudore,
e mi immergevo in lei e mi sembrava di sentirla respirare da dentro. Ma quando Nadia mi salí sopra, oscillando
avanti e indietro con un ritmo naturale, come il vento che

increspa l'acqua, l'incendio divampò definitivo e prese a
sciogliermi senza scampo. Nadia se ne accorse, si abbassò
verso il mio viso, mi passò una mano fra i capelli radi, mi
tirò la testa verso la sua e mi morse appena la punta del
naso. Chiusi gli occhi, sorridendo.

Quando venni dentro di lei, dopo anni senza di lei,
fu come se avessi realizzato il progetto di un'intera vita, come se tutto si fosse dato appuntamento in quell'i-
stante, nella riscoperta di ogni piega delicata, ogni lembo di superficie, i suoi piedi piccoli che sfioravano le mie
gambe storte, le mie dita sulla sua faccia, un reciproco
e disperato ritrovarsi che durò fino all'umido abbandono che ci colse esausti, subito dopo, quando il mio corpo
franò sul suo, nel preciso momento in cui, affondando
nel cuscino, l'orecchio a pochi centimetri dalla sua bocca, udii la parola.

Sussurrata appena, di poco sopra la soglia della percezione uditiva, vibrò come l'ultimo sussulto di un naufra-
go, quasi una preghiera.

– An... tonio, – disse Nadia.

Lo disse con un filo di fiato, un bisbiglio sfuggito in-
consapevole nella penombra.

Spalancai gli occhi nei suoi capelli, come fossi stato appena trafitto.

Rotolai sulla schiena, il viso di Nadia si allontanò, si
allontanò il suo odore e il suo corpo e tutto quel che c'era
stato, mi piovve addosso il soffitto e le pareti che ci cir-
condavano, la mia testa cascò a terra staccata dal collo,
dimenticai perché ero lí, non era piú importante, mentre
cadevo con la sensazione che sarei caduto per sempre mi
sentii piú solo e sconfitto che mai.

51.

Due tradimenti

C'è una domanda che, nella vita, prima o poi ogni uomo si è sentito rivolgere.

Preferiresti che tua moglie facesse l'amore con te pensando a un altro, o che lo facesse con un altro pensando a te? Nel mio caso erano vere entrambe le cose. Avevo rinunciato a essere me, per cercare di essere Antonio. Ora mia moglie sussurrava il nome di Antonio, che però ero sempre io.

Emergeva ormai l'agghiacciante verità, e l'orrore aumentava man mano che il quadro diventava nitido: Nadia non mi aveva lanciato segnali per riportarmi da lei, ero io che l'avevo condotta verso un impostore. Mi ero tradito con me stesso, però mi aveva tradito anche lei. Ero il testimone di due infedeltà, ma non le potevo svelare. Una consapevolezza terribile.

Cominciai a odiare Antonio come esistesse davvero, con l'acredine che si riserva a un rivale in amore. Il mio vantaggio era che avevo potere di vita o di morte su di lui. Avrei potuto distruggerlo in qualsiasi momento, farlo sparire per sempre, fingere che non ci fosse mai stato. Ma Antonio aveva pure dei meriti: mi aveva riconsegnato mia moglie, l'ardore senza tempo della carne, una notte insieme che sognavo da anni, mi aveva mostrato la mia miseria umana e fornito ragioni per affrontarla.

Sbarazzarsene, oltretutto, non era cosí semplice, e avevo il sospetto che non fosse l'idea migliore. Avrei potuto ucciderlo, certo, ma col rischio di tornare all'indolente quotidianità di prima. Nadia si sarebbe chiesta all'inizio dove fosse finito, poi se gli avesse scritto qualcosa di sbagliato, per approdare infine, davanti all'evidenza della sua scomparsa, dopo giorni e settimane e mesi senza ricevere sue lettere in risposta, a una muta rassegnazione. Oppure, potevo continuare a tenerlo in vita e trarne gli indubbi vantaggi, almeno fin quando fossero durati.

Ma esisteva una terza via, la piú pericolosa in assoluto, che si materializzò d'un tratto come una corrente di rancore sordo nei confronti di Antonio, pronta a spazzare via il resto. La scommessa decisiva, il tutto o niente, la fine dei giochi e l'assunzione completa di responsabilità.

Potevo dire a Nadia la verità.

Uscire dall'inganno delle maschere, con tutto ciò che avrebbe comportato. Lei si sarebbe sentita delusa, io mi sarei sentito umiliato, ma c'era in fondo la convinzione che avrei potuto dirle: visto? In realtà ero io, in realtà ti sei innamorata di nuovo di me, delle mie parole, è stato come incontrarsi una seconda volta, è stato un viaggio lungo e faticoso ma alla fine ti ho riportata a casa.

Non c'era piú tempo per l'illusione di gesti senza conseguenze, per le rinunce pusillanimi, se non mi fossi messo in gioco con tutto quel che avevo, se non fossi stato pronto a vincere o perdere davvero, se non avessi avuto il coraggio di immolare quel che restava del mio orgoglio maschile sull'altare della nostra coppia, il mio mondo sarebbe morto per sempre e allora, allora me lo sarei meritato.

Questi pensieri si concentravano nella mia testa come la punta di uno spillo rovente, mentre ero lí, steso nel letto accanto a Nadia, che non si era accorta di nulla e pareva sonnecchiare, la testa appoggiata sul mio torace che lei scaldava col suo respiro. Io fissavo il vuoto sopra di noi, incomprensibile e oscuro, e mi sembrava di essere spinto e risucchiato dalla stessa onda di prima, che ora però mi trascinava via, lontano.

– Nadia, – dissi.

– Mmh? – mugolò.

Pensai a come ero riuscito a sabotare la mia vita, alla maniera in cui per anni avevo sagomato il mio carattere su quello di Nadia, a tutta la fatica per cercare di recuperare mia moglie e arrivare a quel momento, mi venne in mente mio padre e quel poco o niente che di lui avevo avuto, lo sguardo spento e amaro di mia madre quando nei miei occhi di bambino rivedeva il marito che l'aveva lasciata, la salvezza che la ragazza sdraiata su di me aveva portato nella mia esistenza.

– Che c'è? – disse Nadia, prendendomi la mano nella sua.

Sentivo il cuore pulsare forte nel collo, inspirai a fondo. Non serví.

– Antonio sono io, – dissi.

Srotolai la frase d'un fiato, quasi fosse un'unica parola.

Nadia non si mosse, non spostò la testa, non lasciò la mia mano, ci fu solo un lungo silenzio.

– Lo so, – disse lei dopo un po'.

Scivolai via di scatto, mi tirai in piedi, mi appoggiai al muro, l'inventario delle ipotesi mi esplose in testa come una scossa elettrica. Lei si mise a sedere sul letto, raccolse le ginocchia sotto il mento e le abbracciò con le mani.

Guardò davanti a sé, poi verso di me.

– L'ho sempre saputo, – disse.

52

La fine del mondo

Nadia se ne stava dritta accanto al tavolo del soggiorno, la luce del lampadario ne faceva brillare il profilo. Guardava fuori dalla finestra con aria incerta, ma il buio della notte le restituiva, attraverso il vetro, solo il riflesso di una donna in mutande e t-shirt, e il mio dietro il suo, seduto come uno studente in attesa della punizione. Per un istante mi chiesi: «Chi è quello?» La mia immagine non mi somigliava piú, anche la mia faccia sembrava diversa.

– Ho sempre saputo che eri tu, – ripeté.

Lo disse scoprendo appena i denti, col sorriso triste di chi ha avuto una conferma.

– Ma...? – dissi.

– Sul serio pensavi che non avrei riconosciuto il tuo modo di scrivere? Ci siamo incontrati scrivendoci, Miles. E io con le parole ci lavoro. Credevi che sarebbero passati inosservati i tuoi modi di dire, le tue interminabili premesse, le metafore tipiche che adoperi sempre, nel terrore di non riuscire a spiegarti a sufficienza? – Si voltò nella mia direzione, senza guardarmi. – La scrittura è un po' come il sangue, è unica e irripetibile per ciascuno di noi. Certo, può arricchirsi e modificarsi nel tempo, con quel che scegli di nutrirla, ma non può camuffare quel che sei. La tua impronta resta. La scrittura non ti nasconde. Ti rivela.

La ascoltavo sfregando l'indice sul tavolo di legno antico, dissestato dai buchi dei tarli, che dieci anni prima avevamo comprato alla bottega del restauro a Veronetta. Ricordavo quanto avesse insistito Nadia per averlo, decantandone i pregi, mentre io pensavo a quanto sarebbe stato poco pratico e difficile da pulire. Sentivo freddo. E poi caldo, e poi freddo di nuovo. Mi sembrava tutto meraviglioso e terribile. La meraviglia era data dal fatto che finalmente potevo smettere di fingere, dalla confessione che mi aveva riconosciuto e dal pensiero che lei non aveva mai desiderato un altro ma me, solo me, in due modi diversi eppure uguali. Il terrore era invece contenuto in quel sorriso distaccato e stanco.

– Hai saputo che ero io... quando? – balbettai.

– Da subito.

– Ma... e allora perché...?

Nadia si voltò ancora verso la finestra, sembrava che qualcosa nel buio là fuori avesse attirato la sua attenzione.

– Perché era la prima volta che facevi qualcosa, Miles. La prima dopo tanto, tantissimo tempo. Era un gioco cosí bello. Un'autentica corrispondenza amorosa. Sei stato bravo, davvero.

Avvertii una fitta allo stomaco, che mi attraversò come una lama. Era tutto troppo. La stanza calda, il pavimento ruvido, il nostro presente che si stava ingarbugliando di nuovo davanti a me. Non si trattava piú di ricevere accuse filtrate attraverso uno schermo, confessate a qualcun altro. Non erano frasi lette su un monitor o scritte su un banco scolastico. La verità adesso era lí, nella sua voce calma, nelle sue spalle dritte, la realtà mi stava inchiodando alla mia colpa e non avrebbe fatto giri inutili.

– Dopo anni in cui avevi dato per scontato che sarei sempre stata qui, – continuò, – anni in cui avevi ignorato i tuoi bisogni e i miei, in cui avevi trascurato i segnali della mia infelicità, e della tua, anni impegnati a non ferirci col risultato di una reciproca e dolorosa indifferenza, avevi infine preso una decisione. Ti dirò la verità: non ti ho risposto subito perché sono stata ammutolita dalla sorpresa. Ero quasi orgogliosa di te.

Calò un silenzio spesso.

– Ma... poi mi hai risposto. Perché sapevi che ero io, – dissi.

– Sí. No, – disse scuotendo appena la testa.

Prese fiato.

– Sí, ti ho risposto. Ma non perché sapevo che eri tu. Ti ho risposto perché era giusto darti una possibilità. Perché volevo che potessi dare del tuo meglio, almeno per una volta.

– E l'ho dato, no?

La speranza, ancora. Eppure, quel sorriso che.

– Sí, Milo. Sei stato un uomo migliore come finto amante di quanto tu non lo sia stato per anni come marito vero. Sei stato perfino piú audace dei primi tempi, quando tutto sembrava prometterci una felicità invidiabile. Sei stato migliore perché sei stato tu: mi hai regalato la sofferenza di Antonio ch'era la tua, i tuoi sensi di colpa, la tua passione sopita, e io ti ho ricambiato grata, con la lucida onestà che ti dovevo, nel tentativo di accogliere quella ricerca di noi che ci siamo negati troppo a lungo. Sei stato paradossalmente vero, e di questa verità io ti ringrazio.

Avrei voluto dire qualcosa, ma sentivo che non aveva finito.

– Ma, in nome di quella stessa verità, io oggi ti lascio.

Freddo. Solo freddo, ora.

– Come...?

– Ci ho pensato a lungo, credimi. Sapevo che questo momento sarebbe arrivato. E sapevo che non avrei mai potuto perdonarti la menzogna, sia pure a fin di bene. Mi hai mentito. Mi hai presa in giro. Sono stata al gioco per ammirazione e curiosità, e perché in fondo te lo meritavi. Ma alla fine hai cercato di ingannarmi, come sempre, come hai fatto in tutti questi anni in cui ti sei aggiustato la vita addosso come meglio ti conveniva. Hai provato a cambiare, non lo nego. Ma non ci sei riuscito.

Si girò, e mi guardò fisso.

– Avresti potuto venire da me, sapessi quanto a lungo ti ho atteso. Avresti potuto scrivermi tu, con il tuo nome, ne sarei stata stupefatta. Quanto sarebbe stato bello. Avresti potuto scrivermi di noi, senza inventarti una moglie inesistente, e invece hai scelto la maschera di una facile impostura. Anche stavolta.

La guardavo, guardavo la donna che amavo mentre mi faceva a pezzi, guardavo la sua bellezza abbacinante che mi aveva intimidito dalla prima sera in cui i nostri occhi si erano incrociati, e realizzai in un secondo che non era stato vero niente: non lo erano state le mie lettere, non lo erano state le sue risposte, non lo era stata neppure la notte d'amore appena trascorsa, almeno per come l'avevo vissuta io. Nadia mi aveva provocato, con la sua ultima mail, si aspettava un mio tentativo, aveva letto la fiducia nei miei occhi quand'ero entrato in cucina, aveva sentito la speranza agitarsi nel mio petto e l'aveva fatto succedere. Adesso era tutto chiaro: le sue gambe lisce, il suo profumo di sapone, il suo corpo docile. Era un ultimo saluto per il quale si era preparata apposta. Il nome non le era affatto sfuggito, era stato un tentativo di trascinarmi allo scoperto.

Quella sera d'amore non era stata la dichiarazione di un ritorno, ma il preludio di un addio.

Non l'avevo riportata da me, l'avevo allontanata per sempre.

Fu quello il momento. L'istante in cui Nadia mi si avvicinò, mi sorrise di un ultimo sorriso acquoso e materno e condiscendente, mi posò una mano sulla guancia, fece come per aprire la bocca in un impeto di tardiva tenerezza, ma io l'anticipai di una frazione di secondo per dirle non m'importa cos'hai detto e del perché ci siamo scritti ma non lasciarmi cambierò lo giuro anzi sono già cambiato e il nasconderti i miei bisogni era perché avevo paura di perdere l'unica persona con cui potrei mai stare ma non è stato un imbroglio è stato rispetto e amore e attesa del meglio che ci sarebbe stato e adesso so cosa voglio come fare ho tutto piú chiaro cristallino non possiamo buttare quel che abbiamo e tutte le parole che ci sono state e l'amore che ci ha trovati ora che posso farti felice te lo prometto.

Dissi invece: – Sei solo una *stronza*, – con una voce che Nadia non mi aveva sentito mai.

Giusto un attimo prima di infilare la porta di corsa, richiudermela alle spalle e allontanarmi danneggiato e inutile nella notte.

53.
Maverick

Uno dei film che, da sempre, metteva d'accordo me e Nadia, era *Top Gun*.

Lo guardavamo volentieri, ogni volta che lo davano in tivú, era una piccola tradizione solo nostra. E poi *Take My Breath Away* era la prima canzone che avevamo ballato stretti. Chiunque vorrebbe essere Maverick. Io, al contrario, invidiavo tantissimo Goose. Lui è il vero fortunato dei due, quello che ha incontrato l'amore della vita, che non deve scontare il confronto col padre scomparso, che non è ossessionato dal dover dimostrare di essere il migliore. Il fatto che Goose nel film muoia è per me sempre stato una specie di monito: il mondo non è fatto per le persone semplici, è un posto per ambiziosi avventurieri.

Mentre mi allontanavo nella notte sulla mia Vespa rossa, mi sentivo come Mav nella scena in cui abbraccia Goose in mare, con la convinzione di averlo ucciso a causa di una manovra troppo spericolata. Volevo surclassare Antonio, invece avevo inferto un colpo fatale a me stesso, e tutta la mia vita si era d'un colpo avvitata in caduta libera.

Quante volte ripensai a quella sera, nei mesi seguenti. Col senno di poi, è facile comprendere i propri errori. Il tempo ci aiuta a considerare le cose in maniera piú onesta e meno emozionale e ancora oggi, ripensando alla mia risposta, mi accorgo che non fu altro che la liberazione da una lunga dipendenza. Perché mi resi conto che sí, era vero, anche se

non ci pensavo spesso davo per scontato che mia moglie e
io avremmo passato e concluso le nostre vite insieme, che
nessun incidente o incomprensione avrebbe potuto davvero
separarci. Ma si trattava di un'ambizione illusoria perché,
qualunque sia la ragione, c'è sempre uno dei due che se ne
va per primo. La prima fra noi due fu Nadia.

Quando quella sera rientrai, a notte fonda, lei non
c'era piú.

Nell'armadio della camera mancavano la valigia rossa
e la metà dei suoi vestiti, in bagno il suo spazzolino e la
pochette azzurra da viaggio, in camera il suo portatile e i
due libri – un romanzo di Elizabeth Strout, un saggio su
Virginia Woolf – che fino a poche ore prima stavano impilati in equilibrio precario sul suo comodino.

Nadia passò da casa qualche giorno dopo, mentre io ero
al lavoro, riempí degli scatoloni con altre cose, mi mandò un
sms con su scritto di controllarli e verificare se fossi d'accordo con ciò che aveva preso, e poi data e orario in cui sarebbe
passata a portarseli via. Pregandomi di non farmi trovare.

Questo fu quanto.

Non ci furono telefonate o ulteriori messaggi, se si
escludono due miei tentativi andati a vuoto. Galleggiavo
in un'esistenza estranea e sospesa.

Continuare a vivere da solo a casa nostra era deprimente.

Senza volerlo, ero diventato l'uomo della mia prima lettera. Avevo scambiato la mia vita con quella immaginaria
di Antonio, tanto che arrivai a considerare quella mail a
Nadia una specie di premonizione: all'improvviso ero un
uomo abbandonato dalla moglie, in una casa vuota, disse-
minata di scatoloni.

Se era vero, come mi aveva sempre detto lei, che la
scrittura può sul serio modificare la realtà, come una sorta di incantesimo, allora il mio mi si era rivoltato contro.

54.
Sale

Passarono i mesi, arrivò l'anno nuovo, il giardino era una distesa di erbacce altissime che il freddo invernale aveva bastonato, e che avevano inglobato l'orto. Non falciavo piú il prato perché, non appena spingevo il tagliaerba, avevo l'impressione di disfare quel che restava della mia vita.

Il braccio sinistro ricominciò a farmi male. Era sempre stato sensibile ai mutamenti del tempo, che accoglieva con fitte improvvise, oppure con un formicolio fastidioso. Ma adesso c'era una sofferenza nuova, piú profonda, mai provata, una specie di pulsazione elettrica che non mi abbandonava, come un secondo battito. Il medico mi disse che le cicatrici e i traumi profondi risentono anche dei cambi radicali di vita, pareva ci fossero degli studi in merito. E che il freddo, lo stress e la mancanza di vitamine potevano comunque accentuare la tendenza dei tessuti a sfaldarsi, e la riacutizzazione di vecchi sintomi.

La notte sognavo spesso di precipitare, mi immaginavo il braccio staccarsi dalla spalla, rimbalzare per terra, scivolare via. Mi svegliavo con le mani doloranti per lo sforzo di restare aggrappato alle lenzuola. Continuavo con le corse in riva al fiume, perché la fatica muscolare era una punizione che mi aiutava a non pensare, e mi trascinavo al lavoro animato da una triste indolenza, pur di tenermi occupato. Ma tutti i martedí, quando l'osteria era chiusa, una cupa tristezza s'impadroniva di me e della casa, e cominciava a circolare come un vento cattivo. Allora prendevo la Vespa e andavo a fare un giro in Lessinia, oppure sul lago di Garda. Non facevo nulla, non compravo niente, non mi fermavo a pranzare fuori, partivo e tornavo indietro e basta, giravo a vuoto come un cane alla catena. Ogni tanto, passavo a trovare mia madre, l'unica che era sembrata da subito contenta per la mia separazione, anche se si sforzava di non darlo a vedere. Improvvisamente, sentiva di avere qualcosa da poter condividere con me: il triste destino degli abbandonati, l'ingiusto fallimento sentimentale di chi ci ha messo tutto quel che aveva, ma non è bastato. Una sera invitai Marco a cena, portò anche le ragazze. Era evidente che nessuna delle due aveva voglia di trovarsi lí. Ma mio fratello doveva aver detto loro qualcosa sullo zio che ha bisogno di distrarsi, stare un po' in compagnia, sentirsi meno solo. E lui avrebbe potuto approfittarne per fare il padre, fingendo che andasse tutto bene. Bianca mangiò in silenzio. Matilde invece si lamentò della pizza senza sapore. Aveva ragione, avevo scordato di metterci il sale, ammisi la distrazione e mi scusai, ma Matilde non volle toccare piú niente. Marco, nel tentativo di alleggerire, se ne uscí con una battuta delle sue.

– Il sale serve solo per buttarselo alle spalle! – disse. – Un po' come si fa con il passato, no? – aggiunse sollevando un calice di Barbera verso di me. Lo imitai di riflesso, mi accorsi dopo qualche secondo che stavo alzando in aria un bicchiere vuoto.

Al termine della serata, Marco indugiò sulla porta aperta mentre le ragazze sgattaiolarono in macchina nella notte fredda. Si avvicinò, mi abbracciò forte, non accadeva da anni, mi picchiò energicamente sulla schiena.

– Vorrei poterti rimettere insieme anche stavolta, cazzo.

– Sto bene, vai dalle bambine che su Sky mi parte la maratona di *Giorgione Orto e Cucina*, dài.

– Ecco, purtroppo per questo non posso farci niente, – disse ghignando come un ragazzino.

Passavo molte notti davanti alla tivú.

Facevo andare la lavatrice solo una volta la settimana.

Imparai a vivere molto piú semplicemente, persi dieci chili senza rendermene conto, alla fine di marzo mi decisi a mettere su la nuova cassetta della posta e a risistemare l'orto. Piantai dei narcisi.

Prima di buttare uno scontrino o un foglietto, controllavo ancora che Nadia non ci avesse scritto sopra un appunto.

Continuavo a pensare a lei e a cosa stesse facendo là fuori nel mondo, senza di me.

Acqua

Il primo martedí di aprile, il campanello suonò.

Lo sentii per miracolo, esile e lontanissimo, mentre l'acqua mi riempiva le orecchie. Uscii dalla vasca di corsa. Era mattino inoltrato, ero stato nell'orto a vangare dalle sette, mi ero allargato su una nuova striscia in pieno sole che sarebbe stata perfetta per seminare i fagiolini a scalare, fino a luglio.

Mi infilai l'accappatoio, mi affacciai alla finestra del soggiorno e al cancello intravidi il furgone di un corriere.

– Arrivo! – gridai.

Non riuscivo a trovare le ciabatte, inforcai le scale a piedi nudi, quando il corriere mi vide arrivare gocciolante e scalzo inarcò le sopracciglia.

– Milo Visentini? – disse.

– Sono io.

– Firmi qui.

Mi consegnò un pacco di medie dimensioni, privo di mittente. Ringraziai, tornai in casa, lo posai sul divano e andai in cucina a prendere le forbici. Il pacco era leggero, pareva un involucro sovrabbondante e confezionato con eccesso di zelo – tre giri di scotch su ogni giuntura – rispetto all'ipotetico contenuto. Quando lo aprii mi accorsi che, al suo interno, ne racchiudeva un altro, piú piccolo, assieme a una busta bianca lunga e stretta.

La busta conteneva una lettera.

Caro Milo,

dopo quel che c'è stato fra noi, scriverti risulta stranissimo. Mi appare surreale spedire una lettera a casa tua, a casa nostra, ma non avevo scelta.

Martina è morta.

Lo sapeva, era preparata, ero preparata io, è stato lo stesso un dolore di un'intensità bruciante. Di cui non riesco a dirti, perché non ci sono parole per tutto.

Prima di andarsene, il suo ultimo pensiero è stato per te. Credo di averti un po' odiato per questo.

«Diglielo», mi ha detto.

Martina ha sempre pensato che il tuo coraggio avrebbe meritato un esito differente.

Io ho pensato invece che, grazie a te, ho scoperto cose su di me che non avrei mai sospettato.

Mi sono accorta che per troppi anni, nella nostra relazione, siamo state almeno in tre: io, la donna che mi consideravo mentre vivevo dentro la mia testa, e la donna apatica, delusa, rancorosa, con cui condividevi la casa.

Anche su di te ho scoperto cose nuove: che sai osare, spingerti a fondo rischiando azzardi decisivi, che la paura di perdere tutto non è in grado d'impedirti di lottare per ciò che desideri. Mi hai dato conferma che l'uomo che ho conosciuto ti abita ancora. Io l'ho sempre visto, penso che dovresti farlo uscire piú spesso.

Ti ricordi quando ti dicevo che il compito della letteratura è illudere, mentre quello della vita è deludere? Per questo abbiamo bisogno di entrambe: la vita ci salva dall'illusione senza tempo della scrittura, dalla convinzione cieca che possa bastare a sé stessa, la scrittura ci salva dalla concretezza della vita e dall'impressione che le cose non siano altro che quel che crediamo.

Sai, il problema di chi scrive è sempre la scelta di un punto di vista. Mi sono accorta che, osservandomi solo dal mio, le certezze che credevo di avere non erano niente. Che il romanzo al quale stavo lavorando da dodici anni non riusciva a procedere per un semplice motivo: non era la storia che volevo raccontare. Ma avevo paura a lasciarla andare, perché era tutto ciò che avevo. Andavo avanti nella condizione quasi disperata di restare fedele a qualcosa. Mi agitavo accarezzando un desiderio in fondo banale, comune, quello di scrivere un libro che fosse magnifico, e che nella mia fantasia sarebbe rimasto a lungo, forse per sempre. Allo stesso modo, avevo paura a lasciar andare te, per paura di sentirmi persa. Una barca senz'ancora.

Invece, nella quiete dopo la tempesta emotiva, grazie a questa nostra distanza, è germogliato in me il desiderio incontenibile di raccontare un'altra storia, forse quella che attendevo da un'intera vita, senza avere ancora capito quale fosse. Una storia che mi ha portato a una comprensione piú profonda, non ottenibile in altra maniera dato che, come sai, scrivere è da sempre il mio metodo per capire le cose, vederle davvero.

Mi sono resa conto, inoltre, che c'era solo una questione che non riuscivo sul serio a perdonarti. Non l'inganno in sé, non la rabbia in te, ma un risentimento piú ordinario: attraverso la nostra corrispondenza tu hai avuto modo di vederti con i miei occhi, in una piccola zona segreta e protetta, mentre io non ho goduto che in parte dello stesso privilegio.

Rileggendo le nostre lettere, però, piú di tutto ho capito una cosa. Dovevo mettere a frutto quest'esperienza. Perché forse non eri tu ad avere bisogno di restituirti alla mia vista, ero io ad avere bisogno di restituirmi alla mia. Ma, per farlo, anche per me diventa necessario potermi guardare con un altro paio d'occhi.

E ho scelto i tuoi.

Il pacco, che forse non hai ancora aperto, contiene una nuova storia. È scritta da un punto di vista per me del tutto nuovo.

Ciò che piú amo della letteratura è che non racconta solo le storie che accadono, o che sono accadute, ma soprattutto quelle che potrebbero accadere.

Questa qui non ha ancora un finale, magari potremmo scriverlo insieme.

Del resto, ti ho aspettato fino a qui, posso continuare a farlo, per tutto il tempo che servirà.

Ti bacio,

                                                    Nadia

Lasciai cadere la lettera a terra.

Presi il pacco piú piccolo come ne andasse della mia stessa vita, stracciai la carta con due mani, il pacco conteneva circa un centinaio di fogli da stampante rilegati con una spirale di plastica celeste. Li sfogliai, erano un lungo racconto o forse un romanzo, non so.

Sulla prima pagina, c'era un disegno a matita leggera. Nel disegno, una ragazza e un ragazzo guardavano in due direzioni opposte, dandosi la schiena, nel tentativo di baciare quelle che parevano essere due ombre, o due fantasmi del passato, o quello che sarebbero potuti diventare, chissà.

Sopra il disegno, il titolo della storia.

Era scritto a mano, in uno stampatello corsivo minuzioso e ondeggiante che mi ricordava quello di una liceale, conosciuta molti anni prima.

Il titolo, incorniciato da nuvole bianche, era *L'invenzione di noi due.*

Ringraziamenti.

Questo libro esiste grazie a dieci persone.

A Severino Cesari, che tre anni fa ha approvato la scelta di questa storia.

A Rosella Postorino, che ha saputo scovarla in mezzo a molte possibili altre e l'ha aspettata per tutto il tempo necessario.

A Giulio Mozzi, che ne lesse uno stralcio anni prima e mi disse: «Dovresti svilupparla».

A Paolo Repetti, che mi ha permesso di farlo.

A Raffaella Baiocchi, che mi regala le parole che non trovo.

A Laura Ceccacci, che mi ha messo in condizione di poter lavorare con serenità.

A Maddalena Roncoletta, che dopo la lettura della prime quaranta pagine mi ha inviato un messaggio che custodirò per sempre.

Ad Alessia, che sul banco scriveva cose che ti piegavano il cuore in due.

A Paola, che mi ha trovato, laggiú in fondo.

A un giovane architetto che ventuno anni fa, in un pomeriggio di giugno, scrisse il primo capitolo di questa storia, senza immaginare che un giorno.

Nota al testo.

La prima citazione in epigrafe a p. 3 è tratta da Walter Siti, *Troppi paradisi*, Rizzoli, Milano 2015, © RCS Libri S.p.a., Milano. La seconda citazione in epigrafe a p. 3 è tratta da Italo Calvino, *Se una notte d'inverno un viaggiatore* © 1995 by Palomar S.r.l. e Arnoldo Mondadori Editore S.p.a., Milano © 2002 by Esther Judith Singer Calvino - Giovanna Calvino e Arnoldo Mondadori Editore S.p.a., Milano © 2015 by Esther Judith Singer Calvino - Giovanna Calvino e Mondadori Libri S.p.a., Milano. Su licenza di Mondadori Libri S.p.a.

La terza citazione in epigrafe a p. 3 è tratta da William Shakespeare, *Molto rumore per nulla*, trad. di N. Fusini, Feltrinelli, Milano 2009.

Il titolo del capitolo 6, *She (may be the face I can't forget)*, a p. 25 è tratto dalla canzone *She*, testo di Herbert Kretzmer, musica di Charles Aznavour © 1974 by Essex Music International, Inc. / Standard Music Ltd. Sub-editore per l'Italia: Edizioni Musicali Mario Aromando S.r.l. Amministrato da Sugarmusic S.p.a. - Milano. Tutti i diritti riservati per tutti i Paesi. Per gentile concessione di Hal Leonard Europe S.r.l. - Italia.

I versi «Tu non pensarci piú | che cosa vuoi aspettare? | L'amore spacca il cuore | spara, spara, spara dritto qui» a p. 30 sono tratti dalla canzone *Spaccacuore* interpretata da Samuele Bersani. Testo di Lucio Dalla, Samuele Bersani. Musica di Samuele Bersani, Beppe D'Onghia. Editori: BMG Rights Management (Italy) S.r.l. / Pressing Line Srl.

I versi «Chi sei tu che, schermato dalla notte, | inciampi cosí nei miei pensieri?» a p. 41 sono tratti da William Shakespeare, *Romeo e Giulietta*, trad. di S. Bigliazzi, Einaudi, Torino 2012, atto II, scena II.

I versi «Dubita che le stelle siano fuoco | dubita che si muova il sole in cielo | dubita che la verità sia vera | ma del mio amore mai non dubitare» a p. 41 sono tratti da William Shakespeare, *Amleto*, in *I capolavori*, trad. di C. Vico Lodovici, Einaudi, Torino 1994, atto II, scena II.

La frase «L'amore è un cane che viene dall'inferno», a p. 115 è tratta da Charles Bukowski, *L'amore è un cane che viene dall'inferno*, trad. di K. Bagnoli, Guanda, Parma 2007.

I versi «I watch her while she sleeps as well as when she speaks» a p. 143 e «Everyday I build on the image of that girl, the one who tied her hair up and said "let's go"» a p. 144 sono tratti dalla canzone *Love Shouldn't Be Said*. Testo di Matteo Bussola, musica di Paola Barbato.

La frase «"Ti conosco" è la cosa peggiore che un uomo possa dire a una donna e la cosa migliore che una donna possa dire a un uomo» a p. 148 è tratta da Darian Leader, *Perché le donne scrivono lettere che non spediscono?*, trad. di L. Schenoni, Feltrinelli, Milano 1996.

La frase «Un uomo che non sogna è come un uomo che non suda: accumula in sé riserve di veleno» a p. 154 è tratta da Truman Capote, *L'arpa d'erba*, trad. di B. Tasso, Garzanti, Milano 2001.

Indice

Spiga

Farina

Acqua

Questo libro è stampato su carta certificata FSC®
e con fibre provenienti da altre fonti controllate.

MISTO
Carta da fonti gestite
in maniera responsabile
FSC® C115118

FSC
www.fsc.org

Stampato per conto della Casa editrice Einaudi
presso ELCOGRAF S.p.A. - Stabilimento di Cles (Tn)

C.L. 24238

Edizione								Anno			
2	3	4	5	6	7	8		2020	2021	2022	2023